Cuentos con aroma de tabaco

En esta misma colección.–

serie maior

Cuentos con aroma de tabaco

COORDINACIÓN Y PRESENTACIÓN DE

Redys Puebla Borrero

Alberto Guerra Naranjo	Diana Fernández
Reinaldo Montero	Alberto Menéndez Enríquez
Alberto Marrero	Elizeth Godínez
Manuel García Verdecia	Nancy Alonso
Gina Picart	Mylene Fernández Pintado
Lisandro Otero	Ángel Santiesteban
Félix Pita Rodríguez	Dulce M.ª Sotolongo Carrington
María Elena Llana	Juan Ramón de la Portilla
Ernesto Pérez Chang	

Editorial  opular

© **Editorial Popular**

C/ Doctor Esquerdo, 173 6° Izqda. Madrid 28007
Tel.: 91 409 35 73 Fax. 91 573 41 73
E–Mail: popular@editorialpopular.com
http://www.editorialpopular.com

Diseño de colección: José Luis del Río

Imprime: Ulzama

I.S.B.N.: 978–84–7884–409–8
Depósito Legal: NA-3079-2008

Índice

Pórtico a un camino con aromas de tabaco

El Bello Habano marcó la ruta

Redys Puebla Borrero

Entre los símbolos asociados a la cultura de la isla de Cuba, cada uno con su propia carta de origen y sus míticas rutas, se destaca el tabaco como el más auténtico; él ha estado siempre aquí, rodeado por las tórridas aguas caribeñas, como bendito guerrero presto a hacer cumplir los designios de Epicuro. No es casual que en la página del día 15 de octubre de su *Diario de navegación,* Colón dejara constancia del uso del tabaco entre los pobladores de estas zonas. Asimismo es irrefutable la prueba que dejó Fernando Ortiz en su *Contrapunteo cubano del tabaco y el azúcar,* canon sobre estos temas y mapa de las rutas seguidas por auténticos productos americanos, ya sea por su génesis o por su cultivo.

El tabaco es, pues, una planta genuina de América. La hubo desde los tiempos precolombinos en ambas Américas, tanto en la del Norte como en la del Sur, y si no fue oriundo de estas Antillas a ellas tuvo que ser traída desde el continente inmediato. (...) De todos modos, el tabaco es indio y consta que en Cuba fue donde lo descubrió la civilización occidental de los blancos, aun cuando varios autores contradigan esta opinión.

Intentar dramatizar la Historia podría ser un juego aparentemente inocuo si se miran los elementos que la componen como suma de hechos unidos al azar por un ente veleidoso; ella es de los pilares mediadores en la formación de la personalidad artística y de los fenómenos inherentes a la creación, más allá de la voluntad de quien le pretende explotar. Y es que, buscando el modo de ordenar los cuentos que integran este volumen no sólo he encontrado en ellos diversas maneras de "ficcionar" la Historia de Cuba, dentro o más allá de sus fronteras, hay también en su conjunto, la posibilidad de recorrerla con anterioridad; en los menesteres literarios, el poema *Espejo de paciencia,* consagró el bautismo de la nacionalidad cubana desde el siglo XVII, con un tema auténticamente cubano: el tabaco, y asistimos al privilegio de saber qué aconteció en esta isla antes del duodécimo día del mes de octubre de 1492 cuando llegaron a sus costas aquellas "tres inmensas canoas con unos tipos muy raros" –como cuenta Alberto Guerra en *Las anillas*–, entre los que fue reconocido Cristóbal Colón, quien aportó con su diario valiosos testimonios para el ejercicio de escriturar la memoria cubana y universal; disfrutar de los escenarios donde vivían, cultivaban, se amaban, odiaban y adoraban a sus dioses los *indocubanos*; cuánto hacían por la independencia los mambises en la manigua y los criollos en el exilio, hasta convivir con insólitos personajes y hechos que revelan la epopeya de los cubanos de todos los tiempos, con su espiritualidad, sus modos de sentir y expresar alegrías y tristezas, siempre con la esperanza de alcanzar para sus vidas la excelencia probada de habanos.

En medio de esa urdimbre el tabaco cubano o "puro", bautizado así en alusión a su legitimidad, se erige protagonista. Su presencia se hace notar en los textos –sugerido o carnal– de diversas maneras: en las vegas, como puros torcidos o en cigarrillos; en las mismísimas hojas o las pacas donde viajan hacia la industria; en manos del demiurgo-torcedor, del empresario y el lector de tabaquería, del obstinado fumador, o de la "delicada" vendedora, sin obviar su capacidad mimética, asociada a ciertas bellaquerías fálicas, motivadas quizás por la diversidad de matices, calibres y olores, del vitolario de habanos, sin llegar, claro está, a remedar el dionisíaco culto que tenía lugar en el monte Quirinal. No es casual la recurrencia de lo erótico en uno que otro pasaje de los cuentos en este trayecto, peculiaridad que forma parte de la "personalidad" de la aromática hoja, de su biografía secular, alimentada por el ingenio de famosos tabaqueros desde que se creara el primigenio mosquete transformado hoy en majestuosas vitolas diseñadas para complacer las más refinadas exigencias. Ya se ha advertido que la belleza y el erotismo característico de los ambientes donde se disfrutaba el tabaco distinguió el modo especial de vida de nuestros indios y dejó atónito a más de un explorador foráneo; Reynaldo González lo explicita en *El Bello Habano:*

> Casi todos observan la belleza física, los provocadores y poco recatados atuendos. Se deslumbran por los cuerpos y observan con detallada fijeza las frentes anchas y los cabellos negros, la falta de barbas y la escasez o ausencia de vellos en las partes íntimas. La concupiscencia es la vía de tan íntimo conocimiento. Se aficionan a esos cuerpos al mismo tiempo que descubren y saborean el tabaco, que pronto asocian con el sentimiento de pecado que sus mentes europeas

agregan. Las indias danzan y se contonean, golpean con hojas de tabaco sus cuerpos y las colocan como lecho para recibir obra de varón en una fiebre unida a la torpeza y la habilidad.

La pluralidad de asuntos y de voces narrativas contenidas en el volumen nos dejan disfrutar de múltiples situaciones, muchas de ellas límite, anómalas y hasta cáusticas, transgresoras de barreras espacio-temporales, con estéticas tan personales como disímiles, marcadas por un desenfado que le aporta un sabor actual. El *corpus* narrativo aquí reunido ratifica la permanencia de esas virtudes y en sumo agradecimiento al legado de nuestro panorama cultural, cada texto es identitario de la voz de su autor; así son reconocibles, por citar algunos ejemplos, el *sui géneris* realismo mágico de Félix Pita en galanteo con su vasta imaginación en *La pipa de cerezo*; el virtuosismo de Lisandro Otero para recrear temas locales con enfoque universal que exhibe en *Tabaco para un jueves santo*; la sabiduría de María Elena Llana para armarse de palabras como sables, llegar a los planos más íntimos del ser humano y hacer de ellos *poséis*; la hidalguía de recursos expresivos de Reinaldo Montero capaz de sugestionar con su dibujo de ambientes indómitos cubanos –donde es el behíque (bohíque en voz arahuaca) quien predice en ritual con cohibá ante los devotos del Cemí de nuestros indígenas– en *Prodigios*; hechicera, Gina Picart fabula en torno a míticos personajes en atmósferas reales, pero ensoñadas, como las que habitan en *El príncipe de los lirios*; así, sucesivamente, todos dejan puertas abiertas al debate sobre realidades inmediatas o no, desde tangenciales disquisiciones éticas a la aparente mirada hacia el yo(es) activo, provocador y a la vez legítimo, en un dialogismo diverso y atrevido, reflejo de contextos históricos cubanos diferentes, en los cuales el tabaco se sitúa como fiel atalaya, involucrado en nuestros destinos.

La heterogeneidad del grupo de autores responde más al vínculo con el tema de elección que a estilos narrativos o generacionales y, en sus textos –concebidos en su mayoría a solicitud para este volumen– es posible reconocer la gama de posibilidades, no explotadas aún en toda su magnitud, que ofrece la ficción a un tema visitado por poetas, ensayistas, novelistas y cronistas, pero no muy frecuente en la cuentística publicada en la Isla, y menos aún reunidos en una selección. La pretensión es resaltar las bondades del habano como emblema de una cultura, de un arte, de placer, en eterno maridaje con virtuosos "cuenteros", y su balance arroja el interés de los creadores en mostrar, a partir de un pie forzado, sus opiniones acerca de los asuntos del patio, preferencia destacable en la literatura hispanoamericana del *boom* y sus epónimos, y que cada vez consolida su carácter onfalofágico entre los narradores y artistas de los últimos cinco lustros, incitando a la reflexión y a la controversia desde una perspectiva crítico-ética, comprometida con un acervo rico que lo involucra todo, ese *yo-nu* del que habla Rogelio Martínez Furé cuando se refiere a "lo nuestro", de donde refulge innata cubanía. Así es esta propuesta, amalgamada, disímil y genuina como bocanadas del mejor de los habanos.

Redys Puebla Borrero (Santiago de Cuba, 1962). Filóloga, profesora adjunta a la Universidad de La Habana y editora, consagrada a la labor de edición y promoción de la literatura y el arte cubanos a través de las publicaciones de la Editorial Letras Cubanas de la cual es Subdirectora Editorial. Realizó la selección y el prólogo de la antología *Cuentos escogidos* de Eliseo Diego (1995) y de *Nuevos cuentos de ciencia ficción* (inédita). Ha sido jurado de diversos concursos nacionales.

Las anillas

Alberto Guerra Naranjo

Nada hay mejor en esta tierra que echar un poco de humo después de comida. Eso hago ahora, a media tarde, bajo una palma. El humo que tengo dentro sale despacio por mi boca, por mi nariz, y yo contemplo las anillas que se forman en el aire. Luego, esas anillas se pierden, se esfuman, cuando la brisa impone su fuerza natural, y sólo queda el olor intenso del tabaco. Un olor que provoca rechazo y placer. Rechazo, sobre todo en las mujeres, aunque conozco a muchas que lo aceptan; placer, en la mayoría de los hombres. Por eso algunos me imitan, buscan su palma, agradecen la sombra que les da, y se disponen a echar humo y a contemplar las anillas que se disuelven en el aire.

La arena de esta playa es una de las mejores que conozco. A veces meto mi mano, atrapo un puñado y la suelto a la altura de mis ojos. La arena se esparce en la misma dirección del viento e imagino que se alejan mis angustias, mis desvelos. Debo tomar una drástica decisión en mi vida. Hoy mismo, cuando caiga la noche, abandono este grupo. Tomaré todo el tabaco que pueda, y caminaré playa arriba hasta desaparecer. No tengo otra opción. Esas son mis angustias. Pero disfruto el humo del tabaco como si nada pasara por mi mente, como si ese viejo imbécil no fuera mi mayor enemigo y esta misma noche no me pudiera matar mientras duermo. Ah, las anillas, contemplo las anillas del tabaco. Amo su sentido de la liviandad. Si pudiera convertirme en alguna, elevarme, elevarme, elevarme, y que todos contemplen y griten, *Se nos va, miren cómo se nos va*, y yo desde el aire suelto carcajadas, me burlo como nunca, cruzo mis brazos, suspiro dueño de mi suerte, *soy un hombre libre*, les grito, libre como el aire, nadie podrá matarme desde aquí, *soy libre como las anillas del tabaco*, les grito y ellos corren tratando de atraparme por los pies. Lo intentan varias veces, pero no pueden, caen, resbalan en la arena, contemplan cómo gano altura en la medida en que me impulsa el viento, soy libre, aquí no habrá cuchillo que me alcance, puñalada trapera, conspiración barata, les digo, y avanzo hacia el mar, hacia la paz del horizonte. Soy un punto apenas apreciable en el horizonte y el grupo de fumadores me observa. Ha logrado marcharse, se dicen con asombro, ha logrado marcharse al horizonte. ¿Pero cómo ha podido?, pregunta el viejo acercándose con prisa, agitadísimo, con el cuchillo en la mano, y el grupo, sin respuesta, también con sus cuchillos, sólo se encoge de hombros. No pueden saberlo, es mi secreto. Desconocen que ha sido gracias al poder de las anillas de humo. Es aquel punto rodeado de pájaros en el horizonte, se dicen, se gritan. Ha logrado ser un punto en el horizonte, se gritan, se dicen. Ah, qué placer da fumar un tabaco. Las anillas de humo permiten que sueñe demasiado. Elevo el pensamiento como mismo ellas lo hacen. Pero esta noche me voy, acaparo suficiente tabaco y me voy. Ese viejo me odia, lo hace saber sin palabras, sin quejas. Yo siento cuchillos en sus ojos, desdén, conspiración perpetua. Él presiente que seré su rival en poco tiempo, que le divido el grupo. Piensa que muchos podrían seguirme cuando me sienta líder, cuando tenga más fuerza. En fin, el viejo me teme y en cualquier momento mandará a matarme. Ya lo he soñado gracias al humo del tabaco. Llevo noches enteras esperando el cuchillo que se hunde en mi espalda. Soy bueno presintiendo esas cosas, sobre todo cuando estoy bajo una palma, y echo humo, como ahora.

El grupo de fumadores ha corrido hacia la orilla de la playa. Algo poco usual, pero de aquí no pienso moverme. Si voy, el viejo pensará que me domina, que he asumido por fin la sumisión. No pienso moverme de aquí, repito, prefiero soltar humo, contemplar anillas, imaginarme en el aire. Los otros no, abandonaron sus palmas enseguida. Bastó un grito del viejo y todos corrieron a la orilla. Los veo preocupados, curiosos, ansiosos ante sus palabras. Contemplan el horizonte con los tabacos en sus manos, y luego se miran entre sí. Yo prefiero mantenerme en mi palma. Ah, fumar, nada hay mejor que fumar después de la comida. Hoy hubo buen pescado, pero el viejo, como siempre, del pescado me sirvió lo peor. Me odia, no hay duda de que me odia. Esta noche me largo playa arriba. No. Mejor aprovecho ahora mismo. Botaré el pequeño tabaco, expiraré mis últimas anillas por hoy, y me iré. Nadie va a matarme mientras duerma. No soy fácil. Entonces me levanto y compruebo que desde el horizonte han llegado tres inmensas canoas con unos tipos muy raros. Traen cosas largas en las manos, tienen las caras cubiertas de pelos, y hablan una lengua extraña. Los del grupo se acercan, incluso algunos llegan a tocarlos, yo no, prefiero asegurar más tabaco y luego largarme para siempre.

Alberto Guerra Naranjo (Ciudad de La Habana, 1963). Licenciado en Historia y Ciencias Sociales, narrador, ensayista y guionista de cine. Premios obtenidos: Premio Luis Rogelio Noguera, Premio de la Ciudad, Premio de La Gaceta de Cuba en 1997 y 1999, Premio Ernest Hemingway y Premio Razón de Ser.

Ha publicado los libros de cuentos *Disparos en el aula, Aporías de la Feria, Blasfemia del escriba*. El cuento "Disparos en el aula" forma parte del libro *De la piedra al átomo* (Editorial Páginas de Espuma), el cuento "Los heraldos negros" fue publicado en la revista neoyorquina *Grand Street*, junto a figuras como Borges, Tarkovsky y Nabokov. "Frente a Coopelia" forma parte de la Colección *Geografías Literarias* (Argentina, 2007) junto a textos de José Lezama Lima, Jean-Paul Sartre y Alejo Carpentier. Aparece en la antología *Voces cubanas*, publicada por Editorial Popular. La televisión cubana ha realizado versiones de tres de sus cuentos. Algunos cuentos han sido traducidos al inglés, finlandés, italiano, francés y alemán.

Prodigios

Reinaldo Montero

I

Andabas como debe ser, cazando jutías[1] y tortugas, bañándote en los remansos de los ríos, o te sentabas a ver el ir y venir de las mujeres en los conucos[2], porque la siembra termina pronto, y ellas no tendrán buena mano para plantar, pero sí para ocuparse de la prosperidad de la yuca, que igual pasa con los hijos.

«Lo que se acerca es demasiado grande para ser obra de Mabuya, lo que se acerca es capricho de Cemí[3]», escuchaste que dijo el bohíque[4] con un

1. *Jutía:* mamífero roedor de las Antillas.
2. *Conuco:* pequeña parcela de tierra que concedían en Cuba los dueños a sus esclavos para que éstos la cultivaran por su cuenta.
3. *Cemí:* dios de los indígenas, al que se invocaba con un tambor.
4. *Bohíque:* de behíque, adivino de la tribu o chamán.

miedo que se le atragantaba. Y sí, están pasando cosas que nadie entiende, y menos que nadie él. «Violenta roña[5] de Cemí», también dijo el bohíque ahogado en miedo.

Aunque el mayor de los miedos, es el de Habaguano, porque el miedo de ese cacique es miedo a parecer con miedo, tú lo notas, crees que muchos lo notan. Y para colmo, a Habaguano le ha empezado a doler la cabeza todas las noches, a veces hasta grita, y el bohíque registra en el humo de *Tabaco con Polvo Para La Cohibá*[6], a ver si se aclara el origen del dolor, ha dicho, y ha dicho también que pinta y repinta los círculos que hay en la cueva, o laberinto, por donde respira la tierra, para entender lo que hay detrás de los dolores. Inútil.

Ayer noche, entre pasos de baile sabidos y cantos de siempre, el bohíque vio de nuevo el insoportable dolor de Habaguano y dijo, «lo que haya que hacer, a hacerse sin tardanza». Así que hoy, en cuanto empezó a aclarar, Habaguano, el bohíque, tres más y tú, se echan al trillo[7] rumbo a la cueva, o laberinto, para hablar cara a cara con quién sabe.

5. *Roña:* rabia.
6. *Cohibá:* ceremonia que se hace con el tabaco para invocar a los dioses.
7. *Trillo:* senda.

El primero de la fila es Habaguano, lleva a *Cemí* por la barriga, que así es más respetuoso. Cemí con cara pintada de rojo, ojos de café, boca de mamey[8], orejas de desmesura. Se trata de un poderoso Cemí, lo sabes. El segundo lleva la cesta con *Las Cabezas De Videntes*, que sin Las Cabezas De Videntes no hay nada que ver. El tercero lleva el dúho[9] con figura de perro mudo, que es el asiento preferido de Habaguano, asiento mutilado, sin sus orejas de oro, porque la dorada Caona traicionó, y Habaguano la ha repudiado, dice que para siempre, y por eso mandó que toda Caona que se encontrare, fuera ahogada en el río. Ahora te parece que pensar en ese desperdicio pone a doler cualquier cabeza. El cuarto lleva a *Las Caracolas Que Hablan*, que hacen que Cemí hable. El quinto lleva al seco *Tabaco*, aunque Tabaco también se ha vuelto poco amistoso en estos tiempos, como si quisiera seguir los pasos de Caona, pero Tabaco aún avienta su humo potente para poner en fuga los mosquitos, que son muchos, y las cosas malas, que son más, y hasta espanta los malos sueños, por eso se debe acomodar a Tabaco bajo la cabeza, y a dormir, o

8. *Mamey:* árbol americano de la familia de las sapotáceas, con fruto ovalado, cáscara muy dura, pulpa roja y muy dulce. Tiene una semilla muy lustrosa.

9. *Dúho:* asiento bajo, de madera o piedra, usado por los indios.

a tratar. El sexto, que eres tú, lleva *Polvo Para La Cohibá*, que tanto gusta a todos. El séptimo, el bohíque, lleva a *Fuego Nuevo*, el sin nombre todavía, el que acaba de nacer hace un instante en un claro del trillo, gracias al Sol de hoy y a las llamadas insistentes de las piedras, Sol que ya pica en tu cabeza.

A mitad de camino, una jicotea[10] enorme se te queda mirando muy fresca, así que el día ha sido bien escogido, pero nada comentas. Y al rato, jutías de colas espléndidas no se asustan, así que el día es inmejorable, tampoco comentas.

Al fin ves la boca muy abierta de la cueva, o laberinto, donde El Sol y La Luna anduvieron errantes antes de que un resoplido los echara al mundo, y a donde van los muertos después que se les seca el cuerpo bajo casabe[11], conchas y ceniza. En la cueva, o laberinto, los círculos repintados por el bohíque explican esto mismo, y también ruegan que la cueva, o laberinto, siga respirando.

Antes de entrar, Habaguano dice en voz muy alta, para que lo oigan dentro del ojo sin ojo de la cueva, o laberinto, que en prueba de gratitud anticipada, anoche hubo cantos y bailes para recordar

10. *Jicotea:* reptil pequeño, de la familia de las tortugas.
11. *Casabe:* en Cuba, pez de un palmo de largo, forma de media luna, color amarillento y que no tiene escamas.

desde el nacimiento de El Sol y La Luna hasta lo sucedido ayer sin olvidar un solo evento. Y el bohíque, que no sabe permanecer callado, dice que la jodedora Mabuya no va a estorbar porque anda entretenida comiendo guayaba, y que él, bohíque severo, ha guardado los debidos respetos, porque antes de venir se zanjó los codos para aliviarse del peso de la sangre, como se puede ver, y muestra los codos con heridas secas, de hace días, y que está dispuesto a hacer el viaje junto a Habaguano cuando su querido y respetado cacique quiera rodearse de casabe, conchas y ceniza.

Que Cemí no se ofenda con esas dos mentiras, no dice Habaguano, pero seguro lo piensa, como tú lo piensas, y tan fuerte lo piensa Habaguano que aprieta mucho a Cemí con sus dos manos por la barriga mientras ordena, «suena y vigila». Y el que ahora tendrá que hacer de vigilante, me da a Tabaco, saca el guamo[12] y lo hace gemir dos veces, para que sepan allá en lo hondo que van a entrar, y antes de que el segundo gemido agote su andar húmedo por la cueva, o laberinto, te ves dando los primeros pasos para entrar en donde El Sol y La Luna maduraron, en donde todo es maduro.

12. *Guamo*: árbol americano, que da flores blanquecinas.

Fuego Nuevo ahora va delante, y parece decir, «¿a dónde me llevan?, no quiero estar aquí», y es mayor su nerviosismo cuando se hace muy oscuro, el suelo muy claro. Y notas su desesperación cuando de pronto todos los murciélagos, los tantísimos muertos en ropa de murciélagos, enfurecen, como siempre.

¿Será eso lo que ocurre, Cemí?, ¿será que son demasiados los muertos?, ¿será que es necesario parar la vida porque no cabe un muerto más en la cueva, o laberinto? Y esto lo piensas una y otra vez, y muy despacio, a ver si Cemí va entendiendo poco a poco, porque se sabe, los dioses son brutos.

Hay que tener cuidado, a veces los muertos giran y giran hasta echarse como los perros se echan, y entonces fabrican entre todos el cuerpo de un vivo. Por eso es bueno observar el vientre de la gente a cada rato, y comprobar que tiene ombligo. Lo único que no logran imitar esos muertos desesperados es el ombligo.

El bohíque dice las palabras de disculpas, que no quería perturbarlos. Total, los muertos no aceptan razones, jamás se aquietan, piensas por un instante, pero enseguida te arrepientes porque tú y todos deben concentrarse en las preguntas a Cemí.

Desaparecen los murciélagos. Un alivio. Fuego Nuevo ayuda a comprobar que sí, que todos los presentes tienen ombligo, empezando por Habaguano, siguiendo por el bohíque y el resto, terminando por ti.

Hay que caminar muy despacio, con el mayor respeto, hasta el salón preferido de Cemí. Salón enorme, que parece no acabarse nunca, que se pierde cueva, o laberinto, adentro. Sí, es más que grande, es único. Ahí está. Y en cuanto Habaguano y el bohíque se ponen de cuclillas, los imitas, como todos, porque ni Habaguano tiene autoridad para sentarse delante de Cemí en el dúho, que hace traer por gusto.

Acomodan a Cemí y a Las Caracolas Que Hablan. Se ve triste Cemí sobre el suelo pardo, y tan solo, rodeado de Las Caracolas Que Hablan y solo, igual que Habaguano, igual que tú, en esta isla sola, siempre sola. Bueno, ya no tanto. Ese es el problema.

El bohíque y tú acercan a Tabaco y a Fuego Nuevo. Y mientras se prenden las hojas, echas poco a poco Polvo Para La Cohibá. Qué olor delicioso. Y salen de la cesta, una a una, Las Cabezas De Videntes, para acercarse al olor, y luego se acomodan frente a Cemí. En ese momento siempre lo presientes, presientes que la lucidez tendrá que ir desovillando a Las Caracolas Que Hablan, en ti mismo se empieza a desovillar algo.

Habaguano ordena al bohíque que acabe de sacar la espátula, para que lo malo que le quede salga de una vez. Y el bohíque hace no con las dos manos. Siempre es lo mismo, Habaguano ordena, el bohíque dice que no la trajo, porque provocarse el vómito con auxilios es de bohíques indefensos, y de inmediato se pone a morder el suelo con mierda de muertos, vómitos viejos, y traga. A eso no le llama provocar, ni es gesto de indefensión, no. Un bohíque tan desvalido debe tener cierta culpa en lo que está pasando, puede pensar Habaguano, es lo que piensas tú.

El bohíque no logra el vómito. Y traga más, y más. De verlo se te olvida el agradable olor que han logrado Fuego Nuevo, Tabaco y Polvo Para La Cohibá. Que este bohíque inútil muerda y remuerda el suelo y se retuerza y reviente. ¿Será bohíque odiado por Cemí, y por eso lo humilla, lo hace sufrir, lo quiere matar de asco?, piensas, tal vez también piense Habaguano.

Cemí no es tan cruel como parece. El bohíque vomita y vomita hasta vaciarse todo, al menos eso dice con un gesto, y enseguida empieza a aspirar con fuerza Tabaco y Polvo Para La Cohibá, como para llenar su vacío, y hace una y otra vez el signo que indica "escucho". Y lo que escuchas tú y todos es el gorjeo de Cemí despertando, y al rato, las palabras.

«Recuerdo el pico del ave rompiendo la carne a las mujeres en la entrepierna, que por eso a cada luna se abre la herida y sangran, que entonces no se les debe gozar, aunque a más de uno se le olvide», y Cemí ríe con risa coja, y deja de reír, «el mundo va mal, las mujeres no caen preñadas, a veces no son siquiera codiciadas aunque muestren su sola herida, y los pequeños Cemíes enterrados en los conucos son vagos, hacen que la cosecha tarde, así que a desenterrarlos, a romperlos, a hacer otros, a enterrar a esos otros, a aplastar contra la tierra a las mujeres una noche con viento vigoroso para que los Cemíes bajo tierra sientan la fuerza, y a zafarse rápido si una lechuza canta», y Cemí parece que llora, y tose, «lo sé, sé lo que más preocupa, pero hay que insistir, insistir una y otra vez con los hombres vestidos, hay que repetirles, los hijos de Cemí somos buenos, buenos, buenos, a ver si acaban de comprender, a no cansarse de repetir la palabra taíno[13], taíno, taíno, y si resulta inútil, habrá que llegar al prodigio, para que el extranjero admire y comprenda que hay algo muy poderoso que él no alcanza, que después del peligroso prodigio no tendrá más remedio que respetar, que

---

13. *Taíno:* habitante de Las Antillas en el momento de la llegada de los españoles.

el respeto amolda para bien el curso de las cosas, y si el prodigio también resultara inútil, entonces…». Y Cemí hace silencio. ¿Se cansó de hablar? También ocurre que de pronto se ha ido a la muerte Fuego Nuevo. Quizás Mabuya, repleta de guayabas, vio los pasos y los siguió, que por eso tal vez llora más de lo habitual la cueva, o laberinto, y tanta lágrima conmovió a Fuego Nuevo hasta ahogarle de pena.

«En qué consistirá el prodigio», pregunta Habaguano en el oscuro.

«Los hombres vestidos pueden vencer, pero luego serán vencidos, y quienes los venzan terminarán igual, perdiendo, que en esta tierra no puede haber gloria perdurable, ni sitio seguro, ni vida plácida, y nada más diré».

De regreso, a tientas, después de recoger con más trabajo que respeto lo traído, los muertos despiden a Habaguano, al bohíque, a ti, a todos, con lástima.

Cuando sales con una desilusión de jicotea menuda, de jutía con cola mustia, es noche cerrada y el vigilante parece dormido. Y al tratar de despertarlo, notas que se ha convertido en piedra.

¿Se tratará del prodigio anunciado? ¿Cómo traer hasta aquí a los hombres vestidos?, ¿cómo convencerlos de que esa piedra tocaba el guamo, que tenía ombligo? ¿Cemí se habrá vuelto loco? ¿O querrá decir que ese es un fin preferible? ¿Cemí abandona como hizo Caona? Y piensas todo eso tan fuerte, con tanto dolor, que te tiemblan las manos.

Atrás queda el vigilante de piedra, delante está el regreso.

Mientras caminas, empiezas a sentir una felicidad sin motivo, muy calma, felicidad también sin alegría, felicidad que te parece compartida por todos, también por La Noche, por una lechuza chillona. No, no es felicidad de todos, a Habaguano le ha empezado su dolor de cabeza, lo notas, y parece más fuerte que nunca. Ni que fuera de muerte.

II

Señor don Sebastián de Ocampo, usted que vino a poblar siendo natural de Galicia y criado de la reina Isabel La Católica, usted que antes acompañó a El Gran Almirante y oyó discernir sobre certeza y conveniencia, sobre posibilidad y realidad entre El Almirante y el que fuera dueño de La Santa María y cartógrafo de mérito don Juan de la Cosa, porque con la frente de perseverar, Juan de la Cosa afirmaba que Ysla era de embrujo seductor, y don Cristóbal, clavado en sus trece, que Tierra Firme será o el embrujo seductor se troca en páramo embrujado y ni media palabra más, cortó El Almirante, que tenía a la tozudez y al orgullo como sus mejores aliados, desde que comprobó los cálculos de Paolo Del Pozzo Toscanelli y glosó la polémica con Nicolás de Cusa y esgrimió cierto libro intitulado *El Millón de Marco Polo*, que la tozudez y el orgullo hacen posibles los grandes saltos, porque lo tenía trazado Toscanelli, razonado el cusano, contado el maese Marco Polo, pero había que saltar de la realidad de traza, razones y cuentos, a La Realidad, y el rey de Portugal y sus nada irreales matemáticos sacaron cuentas con el auxilio de las estrellas que tenían muy estudiadas gracias a los viajes por África y aún más allá, y murmuraron nones a rutas utópicas por mares quiméricos hasta tierras aparentes, nones porque ni barco ni hombres ni vituallas dan para travesía tan larga, mas una buena idea favorecida por la tozudez y el orgullo hallará siempre sitio, y muy luego, usted, don Sebastián de Ocampo, avecindado en La Española, zarpó con dos naos para dirimir la discrepancia entre Colón y Cosa sobre embrujo seductor o páramo embrujado, y en cuanto tomó por la banda del Norte, supieron de su andadura el cacique Habaguano y su bohíque, no gracias a los chillidos de los muertos-murciélagos, o a la calidez del vómito, o a Las Caracolas Que Hablan, o al eco del guamo que se deslizó con andar húmedo, o a

Las Cabezas De Videntes que lloran en compañía de Tabaco y Polvo Para La Cohibá, o al vigilante pétreo, o a las jutías de colas mustias, o a la más chillona lechuza de la noche, lo supieron porque lo avistaron, aunque intuían que usted, o alguien como usted, en el año que luego aprenderán a llamar de uno y cinco y cero y ocho, todos del Señor, iba a contemplar la más hermosa de nuestras bahías, e iba a entrar para hacer mansión, y usted puso en su cuaderno de bitácora, ordené bordear el peñón como morro que hay en la boca, entré por el canal bien protegido por una colina, llegué a la bahía, y sepa don Sebastián, que Habaguano observó cómo usted echaba anclas, en el borde mismo de la isleta con palmas suaves y arenas intactas en medio del seno de las aguas, y usted puso en el cuaderno de bitácora, hay bosques con cedros y caobas, que solo la providencia puede procurar tanta cosa conveniente, porque hasta mineral asfáltico hay, y cuando se disponía a dar las órdenes para iniciar el calafate, fue que vio a Habaguano en un risco, muy próximo al mar, como posado y esperando estaba, y vio que el taíno lo veía, y que hacía signos de paz, como diciendo soy bueno, y ahí usted se equivocó, don Sebastián, porque Habaguano hacía los gestos convenidos con Cemí en la cueva, o laberinto, de registrar certezas, por donde sigue respirando esta tierra que isla es, como usted comprobaría luego, y donde Cemí dijo, el extranjero admirará el prodigio y comprenderá que algo hay que él no alcanza, y respetará, y empezará a cambiar el curso de las cosas, y Habaguano avanzó una pierna y apoyó el pie sobre el mar, y el mar fue sustentante como piedra, y Habaguano dio otro paso, y otro, y otros, y se detuvo para que bien parado sobre las aguas lo viera el extranjero, como si usted, don Sebastián, no supiera protegerse con la incredulidad o el descrédito o ambos, ¿será truco de El Demonio?, y ni siquiera se tomó el trabajo de hacer la cruz, se cercioró de que los marinos andaban cumpliendo las tareas del carenaje, así que nadie más se había percatado de aquel taíno medio batracio, protegido tal vez por Gardaitas o Manannan o cualquier otro demonio, o simple imitador del gigante San Christoval, ¿o estará sobre un tronco de palma?, y luego, usted pondrá en el cuaderno de bitácora, llamo a ese sitio Puerto De Carenas, y otro sí San Cristóbal de La Habana, y no vi ni un indio ni una sola almadía, que ellos llaman canoa, que hasta el día anterior vilas, algunas con fustes muy hermosos y labrados que era placer verlas, que así se protegió usted, don Sebastián, haciéndose indigno del prodigio, asesinando la verdad, y entonces Habaguano, por obra y gracia de Cemí en contubernio con la jodedora Mabuya, se disolvió como la respiración en el viento, y entró en la invisibilidad, ¿o no estaba claro que el prodigio no cambiaría el curso de nada?, ¿y cualquier acto futuro, cualquier gesto naciente, descomunal o nimio, servirá para algo en esta tierra que no es firme, sino Ysla flotante, viento encarnado, fuego siempre a punto de extinguirse, zozobra, cual páramo devoto de la levedad, también de la tozudez, del orgullo, y del silencio?

III

Lamento no poder tratar el tercer y definitivo prodigio. Diversas razones, de diversa índole, aconsejan que prevalezca aún el secreto. Recabo la mayor comprensión y la confianza en que no bien se hayan dado las condiciones mínimas, el [...], que es [...], porque [...].

Único fragmento de la última nota que ha llegado a nosotros. No sabemos aún bajo qué circunstancia, quizás bajo qué amenaza, el autor redactó con mano no muy firme estas palabras. Ofrecemos al lector los dos relatos reveladores que anteceden, entre otras razones, para contribuir en algo a esclarecer, no solo el por qué no trató el «tercer y definitivo prodigio», sino la muerte violenta de que fue víctima en su

mesa de trabajo. Agradeciendo cualquier informa-
ción,

Los herederos.

Reinaldo Montero (Ciego Montero, 1952). Es filólogo, narrador, dramaturgo, guionista, ensayista y crítico. Posee una importante
y vasta obra. Sus libros han sido publicados en Cuba, España, Brasil e
Italia. Sus obras teatrales han sido representadas tanto en Cuba como
en Estados Unidos y España. También ha obtenido importantes premios como el Alejo Carpentier, Premio de la Crítica (en varias ocasiones), Premio Juan Rulfo, premio Casa de Las Américas, Premio Fray
Luis de León, Premio Italo Calvino...

Entre sus obras narrativas destacamos: *Bajando por calle del Obis-
po, La visita de la Infanta, Música de cámara, Misiones, Trabajos de amor
perdidos, 6 mujeres 6 El suplicio de Tántalo (otra vez).*

De teatro: *Liz, La violación, Concierto barroco* [basada en la novela homónima de Alejo Carpentier con la colaboración de Laura Fer-
nández], *Rosa Fuentes* [basada en la novela *Un mundo de cosas* de José
Soler Puig], *Fausto, Los equívocos morales, Medea, Memoria de las lluvias*
y *Con tus palabras.*

Camino de humo

Alberto Marrero

Bebe un trago de ron y luego chupa el tabaco con fuerza. Expira un humo encrespado que envuelve todo el lienzo. Repite la operación varias veces, como si fuese un ritual. Sus ojos saltones centellean. El humo forma una niebla que penetra en la tela y se hace parte de la historia que lleva en la mente más allá de los trazos, los símbolos, las metáforas...

–Es él –dice el hombre de la cara huesuda.

–¡No veo a ese demonio por ninguna parte! –protesta el otro reteniendo a duras penas a los perros.

–Puedo ventear el humo que va dejando detrás –confiesa el primero mirando hacia los cerros pelones.

El negro Caridad fuma sentado sobre una piedra. Tiene los pies ensangrentados, pero no aparenta sentir dolor.

–Este es mi sueño –dice saboreando el humazo que emerge de su boca.

Sin embargo, no puede recordar el momento en que deliró por primera vez –de seguro despierto– verse aspirando un puro en absoluta libertad. Ha llegado a pensar que nació simplemente con esa idea. En el bulto que arrastra carga un mazo de los mejores tabacos de la isla. *El humo me hará eterno,* se dice lanzando una bocanada hacia el valle que se extiende manso ante sus ojos.

El de la cara huesuda anima al de los perros para que no se retrase. Con el machete corta la bejuquera. A ratos se detiene y respira con toda la potencia de sus pulmones. Desde que salieron del ingenio no han cesado de discutir.

–El placer lo matará –dice el que va a la cabeza.

–Mis mastines lo harán primero –replica el otro.

–No debiste traerlos.

–Siempre los llevo conmigo.

–En este caso no servirán de nada.

Lo que más le fascina del tabaco es el aroma y ese humo que raspa la garganta hasta aguarle los ojos. De niño observaba oculto en los rincones de la vieja casona el lento paso del señor Orozco, los brazos acomodados en la espalda y una espléndida breva entre sus labios. Por las noches seguía los punticos rojos que se apiñaban alrededor de la casa y más allá, en dirección a los barracones. Con sólo aspirar el aire imaginaba capturar el humo que huía entre las hojas de los mangos y las guanábanas. Todos fumaban a esa hora de silencio y lasitud. Manera de atenuar los ardores y el cansancio del día, o de ignorar la fetidez de la diarrea y los gritos de los enfermos, cuyas almas se iban muchas veces antes del amanecer. Hasta las negras jóvenes probaban sus primeros cigarros al tiempo que recibían en sus catres las vergas de los hombres del mayoral. Jolgorio de gemidos, risas y palabrotas que el pequeño Francisco de la Caridad escuchaba –o creía escuchar– y que pronto le provocó la comezón por la mujer, asociada al humo lascivo de las negritas que años después retozarían con él, ya expertas en todo tipo de cabriolas sexuales.

Los dos hombres se detienen al pie de una planicie. Con lentitud, el de la cara huesuda vuelve a olfatear el aire. El otro refrena a los perros tirando fuerte de las correas.

–*La llanura impacienta a los animales* –dice con voz jadeante y saca un mocho de tabaco del bolsillo de la camisa.

–No enciendas esa porquería –le ordena el negro enjuto sin dejar de mirar al horizonte, y echa a andar apartando unos yerbajos con la culata del fusil.

–¿Quién carajo te habrás creído que eres? –grita el otro azuzando a los perros.

Es una lástima que desde este altozano no se vea la villa, se dice el negro Caridad expeliendo el humo con los labios en forma de o. Siempre le gustó el pueblo. Encargado de la compra de comestibles y otros productos para la casa, entre ellos los puros que le mandaban al amo desde La Habana, tenía tiempo para admirar la flamante iglesia, el parque sombreado por palmas y laureles, el paseo por donde circulaban, con paso demorado, familias blancas con sus negritas de compañía, señores solitarios enarbolando sus brevas como astas, *una manera pública de anunciar la envergadura y solidez del falo,* según razonaba el propio Caridad entre los negros que solían escucharlo después de los quehaceres diarios, aunque a veces no entendieran el significado de varias palabras y mucho menos sus extrañas reflexiones. El hecho de haber devorado en secreto parte de la surtida biblioteca del señor Orozco, lo hizo dueño de una labia inusual que le granjeaba cierta ascendencia entre la servidumbre y los esclavos de barracón.

El pintor supone que el negro Caridad robó los puros y que admiraba, como él, las vitolas ribeteadas en oro, con sus damas exquisitas, señores de uniformes radiantes, la mismísima reina, todo con un fondo de hojas de un verde enérgico bajo el sol ilimitado de la isla. Nuevamente chupa y reaparece la bruma sobre el lienzo, ahora más tenue.

–Va por el tercero –masculla el de la cara huesuda y de sus ojos hundidos salta un chispazo, al parecer, de satisfacción.

El de los mastines no da crédito a lo que acababa de escuchar y escupe los restos del mocho en un gargajo viscoso, de vetas carmelitas. *¿Cómo rayos sabe que ya encendió el tercero? ¿A quién pretende engañar con su monserga de hechicero? Cosas de negros*, se dice frenando de golpe a la jauría.

–¡Los perros tienen hambre! –vocea mientras comienza a sacar unos huesos pelados de su talega.

A pesar de la oscuridad, no le resultó difícil saber dónde el señor Orozco guardaba sus puros. ¿Y por qué no llevarse también el revólver de cachas plateadas? Meses de observación sigilosa lo condujeron al escaparate de la biblioteca. Antes tomó la llave que el conde ocultaba, sin malicia, dentro de un pequeño cofre. Con su preciada carga ya en el morral, tomó una botella de vino y abandonó la habitación. Caminó afelpando cada pisada. En el pasillo no pudo evitar el tropiezo con uno de los muchos jarrones de porcelana. El ruido despertó a los perros, los negros domésticos lo vieron correr buscando la puerta. Pronto apareció el señor en bata de dormir, la cara demudada por el asombro y luego el estallido de ira, la frase seca, terrible, concluyente: *¡Negro desgraciado! ¡Tráemelo antes de que amanezca!*, dijo al moreno de la cara huesuda, su rastreador por excelencia.

Los ladridos lo despiertan del embeleso. *Ya vienen*, piensa y empuña el revólver. Sin soltar el tabaco y con el saco amarrado en la espalda, se mueve con agilidad entre los riscos, para alejarse lo más posible de la dirección en que se escuchan los ladridos. *Abajo soy una presa fácil, se dice, tendrán que perseguirme por todo este lomerío.*

Los ojos enrojecidos del pintor siguen la carrera del acosado. Toma el pincel y destroza sus pantalones hasta dejarlo casi desnudo. La idea del desnudo lo lleva a despojarse también de su ropa. Devuelve la vista al otro extremo del cuadro.

El de la cara huesuda ya escala por la ladera. El de los perros lo sigue, ahora más seguro de que sus animales llevan el rastro. *En cualquier momento lo parto de un tajazo*, piensa. Cuando llega a ese punto se encuentra con los ojos del de la cara huesuda que lo mira muy serio, parado sobre una roca. *¿Habrá escuchado mi pensamiento? ¿Tendrá este cabrón la facilidad de leer la mente como sus brujos malditos?*, se pregunta.

–Estuvo sentado largo rato en este peñasco, fumando –dice y comienza a descender con paso ágil.

–¡Yo lo hago por la paga! –gruñe el de los perros–. ¿Y tú?

El negro de la cara huesuda guarda silencio, lo mira con fastidio. Aspira nuevamente el aire.

–Se fue por allí –indica con el cañón de su fusil y sigue las huellas que el viento le trae.

Agitado por la carrera, con los pies cada vez más sangrantes, el negro Caridad se detiene y mira al cielo. Corre un brisote húmedo que le eriza la piel. Sabe que dentro de dos o tres horas amanecerá. *Tengo que encontrar una cueva*, murmura sacando otro tabaco del morral. Antes de encenderlo come un par de mangos y después se tiende en el suelo con la botella de tinto. *Unos minutos de descanso me vendrán bien.* La bebida le produce una sacudida de bienestar. *Nada como una copa de vino y un puro antes de dormir*, recuerda la expresión tantas veces remachada por el señor Orozco antes de irse a la cama, en ocasiones con alguna de sus negras escogidas, que como las negritas del barracón, fumaban mientras recibían el ariete señorial entre sus muslos. El conde Juan Rodrigo de Orozco y Mendoza nunca fue un tipo casto ni demasiado devoto. La temprana viudez no lo sumió en la desesperación. Por el contrario, pareció alegrarle. Nadie calculaba la cantidad de mulatos que trajo al mundo, piensa el negro Caridad lanzando una gruesa bocanada que se eleva como nube sobre su cabeza.

–¡Mierda, hay que parar! –se queja el de los perros.

–Eso piensa él –ironiza el otro. Apura el paso.

–¿Cómo lo sabes? ¿Y qué carajo me importa lo que piense ese maldito negro?

–Es un error ignorar lo que piensa el contrario.

–¿Acaso tú sabes lo que yo pienso?

–¿Desde cuándo somos contrarios?

–¡Vete al infierno!

El de la cara huesuda deja entrever algo parecido a una sonrisa leve. Con los ojos cerrados podría seguir el rastro. No era la primera vez que enfrentaba el reto de un fugitivo. Sus numerosos servicios al señor Orozco le ganaron lo más preciado, la libertad.

El pintor se concentra en este rostro afilado. Infiere que debajo de la frente despejada se esconde una voluntad inalterable. Pero también un amasijo de sentimientos que el artista no puede explicarse. El de los perros es un personaje inevitable en estos lances, por muy trillado que resulte. Vuelve a saturar con humo la tela todavía húmeda. Ahora le gustaría tener a mano a su modelo, intercambiar con ella los flujos del cuerpo y del alma, como él suele decir. Con una cuchilla corta su mano izquierda. Moja el pincel en la sangre.

El negro Caridad fuma mirando a las estrellas. Evoca noches a la intemperie, con las brevas que le robaba a Orozco, urdiendo el plan que lo llevaría a esta dichosa soledad. El éxtasis lo devuelve al sueño. El placer recorre su cuerpo. *El humo me hará eterno*, repite la frase que lo obsesiona y cierra los párpados.

–Morir es el regreso a la madre –dice el de la cara huesuda apuntando con el fusil hacia las sombras.

–No te entiendo.

–No hablo para que me entiendas.

–¡Entonces cállate y acabemos de una vez!

–Ahora ese negro duerme.

–¿Cómo cojones lo sabes?

–El humo es lento.

–¡Y dale con el cabrón humo!

De pronto los perros se lanzan a una carrera vertiginosa antes de que el hombre pueda retenerlos por las correas. Libres, ascienden entre las piedras. El de la cara huesuda escupe con rabia y rezonga palabras que el otro no logra escuchar. Con el arma en ristre corre detrás de los animales. Su delgadez le permite sortear los obstáculos.

El negro Caridad despierta sobresaltado en el momento en que de una de las negras consentidas del amo lo succiona arrodillada. Ocurrió una tarde en que ambos se pillaron en la biblioteca, ella buscando la damajuana de vino y él un puro para amenizar la velada. Se miraron horrorizados, sin pronunciar palabras, luego se fueron aflojando hasta que se echaron a reír y cada cual buscó lo que necesitaba. El suceso terminó en una orgía de vino, humo y sexo en unos matorrales cercanos a la casa. El negro Caridad aún tenía la verga tiesa cuando escuchó los ladridos. El tabaco se le había apagado entre los labios. Aguza el oído y de inmediato sabe que están cerca. *¿Qué tiempo habré dormido?*, se pregunta estirando los músculos. Recoge el saco, lo ajusta a su espalda y echa a correr con el revolver en la diestra. Trepa más alto, buscando la cima. Muerde lo que queda de la breva. De momento piensa en encenderla, pero una voz interior le dice que no, que la llama se vería desde leguas a la redonda.

El de la cara huesuda se muestra confundido. Sólo los perros mantienen el rastro. Ya con las correas nuevamente en sus manos, el de los animales sonríe:

—Al final todos somos bestias, carajo —dice.

El de la cara huesuda parece no escucharlo. Decide adelantarse a los perros por un sendero angosto que lo llevará a la cresta de la montaña.

–¡Nos vemos allá arriba! –grita y se pierde en la cerrazón.

Avanza como volando sobre las piedras. En una curva del trillo cae, pero se levanta de un salto, aguijoneado por el dolor en las rodillas, sin pensar si sangra. Ahora su marcha es torpe, pero acelerada. El pintor sabe que un personaje como éste no renuncia. Aplica el óleo más espeso.

Varios relámpagos anuncian lluvia. Una levísima claridad comienza a caer sobre el lomerío. El negro Caridad le teme a los truenos. Siempre le ha temido a los truenos. *Si apareciera una cueva*, piensa en medio del sofoco de la carrera y el sufrimiento que le provocan sus pies cortados. Ya no escucha a los perros. Eso lo tranquiliza, a pesar del estruendo del cielo. Encuentra un peñasco que sobresale formando una suerte de alero. Sin dudar un segundo se refugia bajo el saliente. Su pecho se estremece con violencia. Acaricia el revólver. Jamás ha disparado, pero sabe cómo hacerlo. O supone que sabe porque ha visto al señor Orozco disparándole a melones, a botellas vacías, a negros tan molidos por los golpes que lo cristiano es ahorrarles la agonía, como a los caballos ciegos o con las patas partidas. Decide encender otro puro. *Qué la Virgen María me proteja,* murmura arrojando un humo que por momentos le parece húmedo.

El de la cara huesuda no ha dejado de ascender, decidido. El negro Caridad nunca le agradó. Le parecía engreído con esa jerga enjundiosa siempre a flor de labios. Tienen la misma edad. Gozaron de las mismas negritas, fumadoras empedernidas, chupadoras en matorrales a cambio de raspaduras y sobras de comida de la casa señorial. Ambos aprendieron a leer gracias a ciertos estallidos de bondad del señor Orozco. Ninguno de lo dos cree con firmeza en santos de negros. Eso los identifica. El señor los educó en la devoción a los dioses blancos, a su manera, sin mojigaterías. Una vez se liaron a trompones. Caridad lo sentó de una estocada en el vientre que le sacó el aire.

El pintor sabe que su cuadro se alarga, debe sintetizar. Ha urdido esta historia para hallarle un sentido a sus trazos, a la mirada sobre las figuras que pone en la tela. La mirada es todo. Y el olor, supone que piensa el de la cara huesuda caminando, impetuoso, la nariz golosa del humo que le llega a través de la llovizna, las manos férreas sobre el fusil. De pronto distingue una llama. Una minúscula llama que florece entre las piedras. *Es él*, susurra, y se desprende a correr.

Caridad percibe los pasos. Asustado, apaga el tabaco contra el suelo. *No son perros*, piensa tratando de ajustar la puntería. Los disparos iluminan el sendero y el nicho de piedra casi al unísono.

El pintor ve dos cuerpos que yacen. Se agacha para socorrer primero a uno y luego al otro. Ambos vomitan una sangre prieta, hedionda. *Es tarde*, se dice. Saca un tabaco del morral, lo enciende, expele. El humo envuelve su mano herida.

La lluvia arrecia.

Alberto Marrero Fernández (Ciudad de La Habana, 1956). Poeta y narrador. Es licenciado en Historia y miembro de la UNEAC.

Ha obtenido varios premios, como el Premio Regino Pedroso, Premio Nacional de Narrativa Hermanos Loynaz, Premio Luis Rogelio Nogueras y el Premio de Cuento de la Gaceta de Cuba.

Entre sus libros destacamos: *El pozo y el péndulo, Con la salvación y el eclipse, La cercanía infinita, Último viento de marzo, Los ahogados del Tíber, Efecto Babel.*

Aroma de una fuerza

Manuel García Verdecia

Escojo un puro de la caja que me extienden. Ese aroma, mezcla de tabaco y cedro me hunde siempre en un raro estado. Repito un procedimiento fijado en el recuerdo. Acerco mi rostro a la caja y aspiro, pausada, hondamente. Así olía la cercanía del abuelo. Nunca le faltaba una caja de brevas. Halaba un taburete hasta el horcón derecho del portal, bajo la sombra inmensa de un mango, lo recostaba y, apartándose hacia atrás el sombrero, hasta despejar la frente, se ponía a chupar y chupar, soltando bocanadas, envolviéndose en un levísimo velo azulino. Así pasaba ratos. Desde el patio, haciéndome el entretenido en mis juegos de soldados, lo observaba. Me atraía aquel acto de introducirse un objeto con candela en la boca, tragarse el calor y devolverlo hecho humo. Alguna vez hasta intenté hacerlo, hurtándole el cabo en un descuido, solo para ganar una brasa que me apretaba el pecho y no me lo soltaba hasta que la tos, una y otra vez, lo sacaba de allí. O el vómito, si había sido muy larga la chupada. Me parecía obra de algún oculto poder. El poder indómito del abuelo. Además, estaba el ritual antes de llevárselo a los labios. Llegaba hasta la tienda, pedía Tabaco, el tendero le ponía una caja delante. Los miraba y miraba, rebuscando, separando, como si se tratara de un grano de oro en un pajar. Cuando entresacaba alguno, lo acercaba hasta el oído, le daba vueltas entre el pulgar y el mayor. ¿Qué escuchaba?, me preguntaba mientras me bebía mi Iron-beer[1] inacabable. ¿Qué extraña melodía escondía aquel rollito de hojas? Luego de escoger dos o tres, se ponía uno tras la oreja, y guardaba los otros dos en el bolsillo de su resudada camisa caqui. Volvía a casa y ponía éstos en la hermosa caja de delgadas maderas, con vistosos dibujos, y suave perfume. El tabaco que traía en la oreja era siempre el de turno. Iba por su taburete y, sin soltar su bastón de caguairán, descolgaba la breva dormida en su oreja. La acariciaba tiernamente, como quien acuna a una criatura. Ensalivaba la punta afilada y, de una mordida, la descabezaba. Le pasaba la lengua al fleco sobrante del corte y, ya en la boca, la tenía un

1. *Iron-beer:* refresco cubano.

rato de un lado al otro. Entonces prendía el fósforo y, calmosamente, girando y girando la punta, a la vez que chupaba, la ponía al rojo vivo, hasta que el caluroso aliento lo inundaba. Ahí se echaba hacia atrás y soltaba el fino chorro azul. Halaba y halaba. Fumaba y miraba a las montañas ocultas tras otra humareda de parecido azul. Cuanto hacía responsablemente estaba subrayado por el fuego de su tabaco. Cada vez que veía cometer una chapucería o un abuso sin reparación profería, ¡Carajo, se acabaron los hombres en la Isla! Se dolía de sus años, Si no, eso lo arreglaba yo, que no le dejaban emprender una acción sanadora, refrendándolo con su divisa, Como que me llamo Justo Magín Hidalgo. Entonces se levantaba del taburete y se ponía a desandar blandiendo el bastón como una espada, el rostro tenso con frecuentes crispaciones, Sche, chistando a ratos. Caminaba hasta que se le bajara el fogaje, decía. Yo lo observaba por horas, fascinado por el misterio de su rito y su indomable temple. Recogía las anillas que, cuando el tabaco se acababa, él quitaba y lanzaba al suelo. Eran mágicos fragmentos de una inefable energía. Las conservaba en una de sus cajas que, ya viejas, desechaba, junto con mis lápices, de olor gemelo. Me parecía que allí se ocultaba un misterio, una fuerza. Esperaba que un día ésta se me revelara.

Hay asuntos que nunca se pueden explicar. Uno quiere que todo tenga un resultado pensado. Que la química de la vida no nos traicione con una sorpresa y la combinación de cierta actitud y determinadas normas produzcan siempre el mismo metal. Hacemos lo que creemos es correcto. Brindamos las oportunidades para abrir alas y pulmones, volar en un círculo de cielo limpio. Entonces, ¿por qué? ¿Cómo puede ser que el vuelo sea tan distinto y distante? Y, peor, este absoluto repliegue. La soledad inesperada. Tanto soñé con años de reposo auspiciado por la mirada azul, acogido por la piel de impoluta nube, que tendieron redes a mi juventud. Las aguas se han despeñado y queda el cenagal, restos, abandono. Uno ha trabajado, sacado cada centavo puesto en la vida del sudor. Ha ordenado la casa como un espacio gentil. La familia, un jardín sosegado y amable. No duden, ha dicho, vengan a mí cualquiera que sea el dilema. Armemos el rompecabezas entre todos. Así será más limpio, menos doloroso. Y un día y otro entra el sol por la ventana algo desarmada pero entera, y los gorriones llegan hasta la cocina por las migas caídas y el mango del fondo saluda con su fronda y todo parece que es un solo día. Sin embargo algo negro va creciendo, como un barrunto de tormenta inesperado. Unas nubes gruesas que asustan. Nunca anhelé más que la paz. Mi idea de la felicidad es una familia reunida en torno a la mesa los domingos.

Cuando fui grande comencé a preguntar. Quise armar el disperso mosaico de mi familia. Mi padre estaba en el cielo, me decían. Se tornó un pozo insaciable. Pensé que con datos podría repararlo. Confirmé que no había tal cielo, solo un lugar desconocido por la manigua de la isla. Había marchado a lo que consideró justo y se lo tragó el fuego. Mi madre se convirtió en un cuerpo que lavaba, cocinaba y me atendía. Un cuerpo que se marchitaba como una flor silvestre. Igual supe del abuelo. Un día había abandonado también una novia, unos padres y hermanos en otra isla cercana, con la ilusión del porvenir. Al terminar la Guerra –no le ponía apellido pues para hombres como él, sólo había una, las demás eran revueltas–, compró la finquita donde nací con el dinero que le dieron como compensación por su participación en ella. Con sus propias manos fabricó una casona rústica y, como él, imbatible, de paredes de tablas de palma, techo de yarey, piso de baldosas de barro. Allí inició el cumplimiento de su anhelo, una esposa y muchos hijos, y un quehacer que diera sustento y sentido a su tiempo. Allí vivimos, hasta después de él muerto, el año en que inundaron los terrenos para hacer la represa y nos trajeron para los edificios de La Cruz. En la salita se podía ver la descolorida foto de un joven apuesto, de semblante grave, resaltado por un mostacho de negra abundancia, con el uniforme de los insurgentes. Los días patrios vestía la pañoleta tricolor, el sombrero de ancha ala levantada al frente donde lucía una escarapela con la insignia nacional, decoraba su pecho de medallas y se iba por ahí, conmigo de la mano, enseñándome todo, esperando que alguien lo tentara para narrar sus anécdotas. ¡Esos sí eran hombres! Había servido con las tropas del Mayor General García. Peleó en las batallas de Loma de Hierro y Las Tunas. Inició el flamante cuerpo de artilleros, de aprendiz con un americano. De los americanos buenos, que los hay, no vaya usted a creer en política. Llamaba así a todo cuanto se decía o escribía públicamente. Cuando los invasores mandaron a desarmar, entregó el Colt 38 y la carabina Remington, no su Collin con guarda. Lo colgó al lado de la cama, como amuleto y advertencia por todos los días de su vida. Se dedicó a hacer prosperar el conuco con sus bueyes, Artillero y General, ¡que la tierra ha salvado al isleño en las peores circunstancias! Con tierra y vergüenza se vive. No quiso sacar provecho, ¿vivir de la guerra como muchos, que entraron con el último tiro y salieron por el Capitolio? No, eso no va con Justo Magín Hidalgo, hombre de vergüenza. Ahí empezó la desgracia según él. Entonces fundó su familia con una descendiente de canarios, como sus propios padres, Filomena Balboa. La familia es por donde empieza la patria, muchacho, tenlo presente.

Familia, patria, vergüenza, eran palabras que pronunciaba en mayúsculas. A Filo, decía, se la había puesto Dios en al camino en un hospital de guerra, tras el combate de Las Tunas. El bisoño Justo Magín manejaba un cañón de cuero, Un invento cubano, no vaya usted a reírse, que peleó muy bien. Pero todo tiene su día. Y ese fue el suyo. En lo más caliente del combate estalló y Por poco me vuela la cabeza que me dio Dios para pensar el mundo. Una esquirla lo dejó cañengo[2] para toda la vida. No era un impedimento para fundar familia y ganarle el sostén a la generosa tierra. Desde entonces usó el bastón, permanentemente apretado en la mano, como acento de su carácter más que como auxilio para caminar, pues a pesar de su pierna renga, andaba erguido y firme aún a sus ochenta años.

La familia, tanto habló de eso el abuelo que se me sembró en el ansia. Era una divisa enarbolada en

2. *Cañengo:* cojo.

el horizonte. Era la diana y, a la vez, el arco que tiraba de mí. Redondez de la vida, círculo para el júbilo y la realización. Me preguntaba cuándo estaría listo para ella. Siempre consideré que sus demandas me rebasaban. ¿Qué hace un hombre cuando se queda solo y tiene que reunir, proteger y auspiciar a los que de él dependen? ¿A quién preguntar? Y ya no tenía al abuelo. Me aterra ser responsable de los demás. De las victorias todos se sienten partícipes, pero en las derrotas todos acuden al índice inculpador. Decidir por dónde debe navegar el barco y que luego zozobre. ¿Cómo seguir después? Seguro el abuelo tuvo las mismas dudas. Tal vez era en el humo donde buscaba respuestas. Era muy valiente. Yo no lo soy. Se quiere lograr todo sin sobresaltos, sin remordimientos. Hace falta sensatez, un sentido de lo apropiado. ¿Cuándo se es justo? ¿Cómo se logra? Siempre quise para mí la quieta seguridad de aquella luminosidad ganada a la sombra del azulino humo. Era una limpieza conquistada que no ensuciaba nada que la rozara. La joven que amé enraizó a mi lado. Un cuerpo compartido y también sobresaltos, sudores y pequeños goces. El placer de la entrega y el sueño común nos sostenían. Nos quitamos viajes y bailes para darles un cuarto. Dos camas iguales. Iguales lápices, iguales mochilas. El café con leche y amor, nosotros complacidos en nuestros sorbos de café saboreando su satisfacción. Nos abrazábamos fuertemente como si apretáramos el horizonte. Nada nos daba más gozo que ver en la alta noche la quieta respiración de los dos cuerpos dormidos. Sólo así nos atrevíamos a saciar nuestros cuerpos despiertos. ¿Cómo pensar que lo que se intenta se extravía por marañas y bosques traicioneros? Nunca se espera el naufragio como término del afecto y la bondad.

La trigueñita del hospital era toda ojos, unos ojos como un pozo nocturno e insondable. Tenía también una boquita graciosa, para adornar un cuerpo de caña cristalina. Lo mantuvo en ascuas hasta que presentó sus formalidades a sus padres. La ganó por su gallardía y por la nerviosa incapacidad para franquearse, lo que la advertía de un sentimiento firme y cuidadoso. Tuvieron una hermosa familia. Siete hijos, cuatro hembras y tres varones. No se puede pedir más, le decía a Filomena cuando en las tardes, tabaco en ristre, salían a contemplar los naranjos y mangos florecidos, mientras a lo lejos sentían los ecos de las risas juguetonas. Con los años, los hijos ocuparon un puesto a su lado en las faenas de la finca. Eran hombres lozanos en todo, al parecer. Pero vino el tiempo de la violencia, de la sangre y el odio. Un varón, el mayor se fue un día, cojeando por las botas nuevas, hacia las montañas. Quería hacer justicia. El segundo, pensaba que nada cambiaría, y si no se puede cambiar el estado de las cosas es mejor utilizarlo. Se enredó con unos políticos y vivió en la ciudad, con auto y amantes. En el 59 ninguno volvió. El segundo fue al Norte. El primero, mi padre, quedó en algún sitio. Se acabó la paz para Justo Magín. Su único reposo era fumar y rehacer en su mente los tiempos risueños.

Ante ellos desnudamos nuestras visiones. Qué creíamos y qué no. También le enseñamos a decir la verdad, sólo la verdad, aunque no toda. Es mentira que la verdad no duele. Es la que más duele, sobre todo cuando nos atañe, cuando nos descubre, cuando nos deja desasistidos de razón. Por eso hay una porción que debe quedar entre los velos del alma. Guárdese en un lugar seco y fresco, como ciertos objetos preciosos. Allí donde nadie la traicione, la vuelva contra nosotros. Fueron a la misma escuela, los mismos maestros, tuvimos los mismos rigores y también, por qué no, las mismas excusas para salvarlos de algunos desmanes. Los ayudábamos a esquivar desventuras: una tarea excesiva, una limitación inexplicable, una solicitud contraria a nuestros desvelos. El amor es también artero. Crecieron y parecía un revuelo de campanas en domingo de Pascua.

Entonces llegaron dudas y objeciones. Sentíamos que una energía rara los inclinaba a otro margen. Primero fue un susto, luego desasosiego, finalmente el derrumbamiento. El mayor se hizo amante de una sueca. En eso concluyó su carrera de traductor, interpretando las vicisitudes de la sueca. Vive en Helsinki una vida liviana. La menor se rindió ante las demandas de la arquitectura y fue a hacer *lobby* en los hoteles, haciendo caricaturas. Hasta que dio con un panzudo de nariz ridícula, buena para su oficio, el de ella. El hombre se sintió en el cielo y la quiso en casa. La llevó a Zurich donde hace acuarelas de flores tropicales. Quedamos ella y yo, ateridos y sin carnes. Los días fueron como cumplir un horario de oficina. De seis a once nos veíamos, de once a seis dormíamos, de seis a siete nos escuchábamos prepararnos para el trabajo y un hasta luego abría un paréntesis de sosiego en el trabajo.

El tiempo pasaba y abuelo era el padre que conocía. Me traía por la finca. Me enseñaba los trabajos del campo, los asuntos de animales y plantas. Me dejaba cuidar los gallos de pelea con él y luego me llevaba a la valla[3], Ve cómo es el valor de los valientes. No temas a la sangre, decía separándome las

---

3. *Valla:* sitio donde se hacen las peleas de gallos.

manos con que me cubría el rostro, la sangre es para la vida y cuando hay que darla se da. Exlicaba que los animalitos peleaban por su honra, para que nadie transgrediera su espacio. Para él, era mejor desangrarse que deshonrarse. Me acompañaba a la escuela. Conversaba sobre cómo eran las cosas en verdad. Parecía que reñía con alguien. En realidad era la seriedad conque asumía la vida. Todo lo aprovechaba para una lección. Con los días variaba la dirección del sostén. Pasó de su mano que antes me guiaba, a la mía que ahora lo sostenía. Dejé de verlo cuando me fui a la beca en la Capital. Sólo lo veía en las vacaciones. Me parecía que, mientras yo me alargaba, el mundo se encogía y con él, abuelo. Parecía sostenerse en el humo del tabaco. Una tarde de domingo de Navidad, Filomena le pidió a los hijos que, aunque ya no se celebraba, esa tarde estuvieran allí pues tal vez esto no volviera a pasar. No habló de la visión que no la abandonaba ni dormida ni despierta. Una concavidad raramente traslúcida, al fondo una silla, de pronto un temblor y una cortina de humo. Entre bromas y quejas, vinieron, Para no contradecir a la Vieja. Se reunieron en torno a una mesa con guanajo[4] asado. Como siempre había dos sillas vacías, a las

---

4. *Guanajo:* ave parecida al pavo.

que él miraba pertinazmente por entre el velo azulino. Comieron, conversaron, cantaron las viejas canciones de Navidad. Hasta hicieron competencia de décimas. Abuelo, con su tabaco mordido a un costado, recordó sus tiempos mozos, cuando improvisaba poemas a las mujeres hermosas del batey. Compuso una sobre lo cerca que tenía a su vieja amante, una que siempre estuvo al lado de él pero nunca lo había tenido y cuando lo tuviera ya nada tendría. Era la amante última de todos. Ganó el premio. Cerraba el día y todos se fueron a la cama, fatigados pero satisfechos. Esta mamá, decían ante la serenidad con que había transcurrido el día. Evidentemente a abuela se le iba la mano en sus creencias. El viejo decidió quedarse otro rato en el portal, al fresco de la invernal noche del trópico. Voy enseguida, Filo, déjame echar una fumadita. Y acometió el viejo ritual recostado en el taburete, enhebrando asuntos. El sueño gobernaba la casa cuando sintieron un apagado ruido. ¡Qué mierda!, oyeron. Corrieron, ¿Qué pasó, Papá? Aferrado a su bastón, la cabeza sobre el pecho, Justo Magín Hidalgo permanecía inmóvil, como apenado por alguna estupidez. El tabaco yacía apagado sobre el piso. Azorado, lo recogí y me lo llevé a la nariz. No olía a lo de siempre. Era un olor frío y vencido. Fue entonces que tuve la certeza de que el extraño poder lo había –nos había– abandonado. Sólo así podía apagarse su breva.

No tenemos nada, Manuel. Nunca antes había sentido la voraz invasión del vacío. Nunca antes sentí el cuerpo abandonarme y ser sustituido por un espacio de viento. ¿Qué había bajo mis pies? ¿Qué impedía que no saliera flotando, un papel viejo más como esos que en la calle se lleva el viento? Tal vez el peso de la tristeza. De un dolor sin razón. Tal vez el deseo de enraizarme aquí como pendón de advertencia. ¡Miren, tengan cuidado! No hay seguridad. La razón no es un juego de cubos que embonan. La familia fue siempre un ansia, un deseo de plenitud. Familia: una isla sitiada por el mar, de vez en cuando ese mismo mar penetra y la quiebra en un reguero de isletas desasidas. Cuando se marcharon de la casa, todo se fue silenciando. Las hormigas desmembraron la fe. El viento expulsó los anhelos. Un helor de noche estelar lo llenó todo. La sangre se acalló. Los deseos también se marcharon. Éramos dos lunas silentes dando vueltas en el vacío. Hasta esta mañana en que ella ha hablado. Sin entonación, casi sin palabras. No tiene sentido. Somos dos fantasmas y así no se ama. La puerta al cerrarse fue el último latido de realidad. Salí también. Como un papel viejo al viento, ya digo. Vueltas y vueltas hasta hallar este quiosco ruidoso y turístico. Tal vez hoy sea un buen día para un tabaco. Tal vez su aroma me devuelva la fuerza. Tal vez.

Manuel García Verdecia (Holguín, 1953) es profesor, escritor, traductor y editor. Licenciado en Lengua Inglesa y graduado de Lengua Francesa obtuvo el grado de Máster en Cultura Cubana con una tesis sobre la narrativa de la década del 1930. Ha sido profesor en universidades de Cuba, Canadá, República Checa y México. Su obra ensayística incluye estudios sobre destacados autores cubanos e hispanoamericanos. Ha obtenido importantes premios literarios.

Ha publicado numerosos libros, tanto en Cuba como en el extranjero, de ensayos (*La consagración de los contextos* y *La mágica palabra*), poesía (*Incertidumbre de la lluvia, Hebras, Meditación de Odiseo a su regreso, Saga de Odiseo, Hombre de la honda y de la piedra* y *Del tránsito de las almas*), cuentos (*Travesías* y *Música de viento*). Su novela *El día de La Cruz* obtuvo el Premio José Soler Puig en 2007.

También ha sido traductor de *Las musas inquietantes* de Sylvia Plath, *Intimate strangers*, antología de poesía cubano-canadiense, *Meridiana*, novela de Alice Walker, *Hojas de Hierba* de Walt Whitman y *El profeta*, de Khalil Gibram.

El príncipe de los lirios

Gina Picart

En el verano de 1924 conocí en Niza a Tamara
Lempicka, una pintora de moda entre la aristocracia
de París. Yo había llegado de Cuba hacía una semana,
y aquella mañana tomaba un aperitivo con Colette en
un café de la costa, bajo uno de esos toldos rayados
que protegen a los turistas del sol mediterráneo.
Cotilleábamos y nos entreteníamos mirando las
pequeñas figuras de los veraneantes que se desplaza-
ban lánguidamente por el Paseo de los Ingleses.
Jugábamos a reconocerlas, y a pesar de la distancia
Colette logró identificar a Cocteau y a Radiguet por
sus andares de bailarina, mientras yo adivinaba a las
condesas de Polignac y Noailles por sus enormes
sombreros ridículos. Más allá, el horizonte se confun-
día con las negras piedras lisas de la Bahía de los
Ángeles.

Una mujer se acercó a nuestra mesa. Me llamó la
atención su rostro nórdico, de pómulos abiertos y ojos

color jacinto, por su expresión de virgen pervertida, deslumbrante en su descaro total, y sin embargo, amenazado por ese peculiar matiz de lejanía que se adivina tempranamente en aquellas personas a quienes el futuro depara la demencia. Vestía pantalón y casaca negros, camisa blanca y una ligera bufanda de seda sin anudar sobre la solapa. Se parecía a Jorge Sand y supuse que, como otras mujeres a las cuales Colette ya me había presentado, ésta habría sido también su amante. Con Colette nunca se podía descartar que alguien hubiera estado en su cama. Esa era, seguramente, una de las razones que sustentaban nuestro entendimiento perfecto. Además de nuestras incómodas curas de adelgazamiento y el amor por los libros y los gatos.

Tamara besó a Colette en los labios con naturalidad y enseguida se sentó entre nosotras. Cruzó las piernas y con gesto graciosamente hombruno hizo una seña al mozo; le pidió con voz ronca raviolis rellenos con pasta de aceituna y anchoas, y en un francés casi perfecto lo insultó por no tener vinos griegos.

La contemplé sin disimulo, fascinada por su aire soberbio e impúdico a la vez. Un golpe de viento agitó su cabello de un rubio muy pálido, con ese tono ceniciento que Dante atribuye a las alas de los ángeles. Ella sostuvo mi mirada con aplomo, y percibí, agazapada en el fondo de sus pupilas, esa especie de pleamar subrepticia que fluye casi siempre de todos los que ejercen más de un sexo. Después de someterme a una valoración silenciosa, me invitó a ver los cuadros que estaba pintando en su casa de las afueras.

Nos llevó en su espléndido Bugatti de un verde brillante. Conducía como loca, y a duras penas lográbamos sujetar entre carcajadas nuestros sombreros de paja y cintas que el aire se empeñaba en volar. Tamara había alquilado una villa a unos kilómetros del pueblo, muy cerca de la costa; una auténtica masía mediterránea de paredes blancas y techumbre teñida de naranja por los últimos rayos del poniente. Resguardada de miradas curiosas por una enredadera de adelfas, su austera fachada ocultaba un interior decorado en sobrio estilo otomano. Las paredes encaladas hacían vibrar el color encendido de los divanes turcos, las alfombras persas, las espesas cortinas de damasco floreado corridas sobre las ventanas. Varias mesitas bajas mostraban a la vista vajillas delicadas y un sinfín de cajitas de plata para rapé, decoradas con camafeos de esmalte y nácar. Completaban el mobiliario tres enormes cofres tallados y dorados, de cerraduras curvas y aplicaciones de cuero lustrado, y un narguile de oro y plata. En cada rincón esbeltos pebeteros esparcían una tenue lumbre perfumada con aromas de sándalo y vainilla. En las paredes colgaban algunos cuadros y una reproducción del portulano de Piri Reis; debajo, casi oculto en una hornacina, un viejo Corán con tapas de marfil y broches de metal deslustrado aparecía abierto en un sutra de poder. En otra habitación pequeña, silenciosos sobre sus caballetes, dos óleos inconclusos ofrecían a la vista el estilo Lempicka, mezcla de las tintas planas del Art Déco y las formas clásicas y sensuales del Renacimiento italiano. En uno de ellos, un hombre joven ofrecía al espectador su espalda prieta y desnuda, mientras intentaba abrazar a una muchacha, también desnuda, que se encogía levemente ante la inminencia del contacto como quien teme la cercanía del dolor. Era un cuadro muy fuerte, un sombrío erotismo manaba de él como el agua de un torrente febril. Mientras lo contemplaba se me ocurrió que sólo esta polaca, en quien yo adivinaba instintos desaforados, sería capaz de interpretar mi deseo secreto: durante mi último viaje a España hallé en una antigua villa romana un mosaico que me deslumbró; cubría el piso de un jardín interior, y mostraba un banquete de amor: ante una mesa servida con suntuosos manjares se reclinaban en dorada languidez un hermoso pastor y su pastora coronados de rosas, rodeados de manzanas, albaricoques, racimos de uvas moradas, frascos de esencias coloreadas... Si se le miraba un rato fijamente, producía un efecto extraño: la pareja comenzaba a moverse y arrojaba sus mantos, ofreciendo a la vista su gloriosa desnudez. Hasta llegué a escuchar sus risas espléndidas, sus frescas voces juveniles. La ilusión resultó tan perfecta que sentí al pastor cantar:

Bésame con besos de tu boca.
Son tus amores más suaves que el vino.

Su canto se fue apagando y vi cómo se perseguían por entre el verde césped como una pareja de gamos en celo, y al final cayeron sobre la hierba, uno junto a otro, aplastando las violetas con sus cuerpos tersos y sus pieles brillantes de fruto tierno estallando de amor y de deseo.

Desde ese día he buscado un artista capaz de trasladar a un cartón la vida de aquellas imágenes. Después, monsieur Lalique haría un vitral para mi recámara de la casa que Juan está construyendo en el Vedado. Pero este deseo mío es como las cajas de laca china que Juan me regaló cuando nos conocimos (dijo que simbolizaban sus ganas de mí, siempre nuevas, siempre interminables): contiene dentro un segundo deseo: quiero servir de modelo para la pastora.

Buscaré para el pastor un joven hermoso que me abrace como una llama, que desprenda calor por cada poro, que derrame lujuria. Porque mi deseo inicial contiene aún una tercera laca: la función del vitral no será meramente estética, ni tampoco erótica; debe quedar en mi recámara para siempre, y cada vez que Juan me posea tendrá que mirarlo y recordar que otros hombres también pueden tenerme, porque nunca dejaré de ser bella. Y cuando ya no lo acompañe su vigor de sátiro insaciable, deberá sufrir pensando que puedo entregar mi cuerpo a otros amantes cuando yo quiera, a pesar de él, a pesar de su dinero y del amor que hace tiempo se nos murió en los brazos como la corza de aquel poema hindú, herida por la flecha de un príncipe traidor...

Explico a Tamara mi deseo y ella me escucha recostada contra su pared de piedra. Colette no está. No sé a dónde se ha ido, pero la casa se siente vacía, sin más presencia que la nuestra. Tamara enciende un cigarro egipcio, negro y largo igual que sus pestañas, que debieran ser rubias como su melena angélica, pero son densas y oscuras. Fuma en una boquilla semejante a un cetro faraónico; aspira despacio el humo y exhala una voluta interminable por entre sus labios de un rojo sangriento. Con su pupila clavada en la mía viene hacia mí, sin prisa, como si deseara prolongar el camino. Se me encima con cadencia lentísima y acerca su pecho al mío, pero solo un instante. Su mano que no sostiene el cigarro se cuela entre los pliegues de mi blusa y acaricia mi seno; un tanteo suavísimo que se lleva mi aliento enredado en sus dedos de bruja sutil. Mi cuerpo empieza a vibrar. Continuamos mirándonos. Trato de recordar la disposición de la sala e intento ubicar el sitio perfecto para lo que va a ocurrir en un instante, mas para mi sorpresa, Tamara retira su mano tan lentamente como un ave que regresa de un vuelo cansino. Dice que si no me tocaba no puede hacerse una idea del *partenaire* que necesito para el vitral. Ahora –dice–, me ve como una amazona que sale a cazar hombre, y ya puede imaginarse qué clase de víctima debemos buscar. Me cuenta que en las cercanías hay una aldea donde viven muchachos verdaderamente apetecibles, pescadores que envuelven sus vientres en paños blancos para entrar al agua, y cuando emergen, el sol se licúa sobre sus pieles de oliva, perfumando sus miembros con el viento salobre de la playa y los pinos

Unas horas más tarde el Bugatti irrumpe en la aldea. Búfalo potente, embiste la magia de la noche que flota en el terral como un ángel de alas desplegadas, pero nadie abandona su calma ancestral. Los hombres se preparan para salir al mar. Algunos traen las redes y el fanal, otros empujan las barcas. Cuando las nubes se apartan, la luna nueva arroja una luz muy limpia sobre la arena, sobre los cuerpos donde el cincelado de los músculos conjuga claroscuros semejantes a enormes perlas ondulando en el claror fantasmagórico. Mis ojos, habituados a la iluminación de los salones, distinguen mal los detalles. Tamara comprende y con voz broncínea de mujer de pescador grita un nombre: *Jerome*. Una figura masculina se separa del grupo y viene hacia nosotras desde la orla espumosa donde comienza el océano, y yo pienso en la Venus de Botticelli naciendo de la espuma del mar. Tamara anuncia al recién llegado que soy una dama muy rica venida de las Antillas para contratarlo como modelo de pose, y añade que pagaré con largueza. El muchacho, como un genio de lámpara, obedece al conjuro y se inclina ante mí, pero en la ojeada oblicua que me lanza, y que dura un instante, adivino cierta reticencia. Tamara, satisfecha, agita su melena en un gesto que quiere decir *trato hecho*. Intento decir algo sólo por cortesía, pero ella me advierte: *No te esfuerces, Katinka, nuestro amiguito es mudo*. Su vulgaridad me disgusta.

Volvemos al auto y ahora la polaca conduce sin su habitual locura. Fumamos sendos Lacadif, y ella, con su voz ronca, tararea entre dientes una copla de *Carmen*:

¡Mírenlas!
sus insolentes miradas...
Sus coqueterías...
Cada una, descarada,
fuma un cigarro.

Me deja frente a mi hotel y se despide asegurándome que ha contratado para mí una auténtica joya; enseguida, alzándose en su asiento, devora mis labios en una succión prolongada que no intento cortar. El portero observa la escena sin asombro. Es un hombre viejo que ha visto todo ya. Cuando Tamara parte, yo me quedo mirando cómo el Bugatti desaparece en la oscuridad igual que una estrella fugaz. En mi *suite*, tardo mucho en conciliar el sueño. La voz de Tamara sigue cantando en mi oído, y evoca ante mis párpados cerrados las imágenes de una cigarrería de Sevilla, con sus obreras semidesnudas liando puros en una nave caldeada como el infierno, y una gitana vestida de rojo que baila y taconea entre nubes de humo en la taberna de Lilas Pastia.

A la mañana siguiente Tamara me recoge en mi hotel. Es temprano y en el Paseo de los Ingleses sólo hay gaviotas marineras. También se posan sobre las piedras negras de la bahía con sus alas enormes, como ángeles rebeldes condenados a confundir el cielo con el mar. Jerome nos espera en la villa. Tamara le ha ordenado que se presente ante mí sólo envuelto en el paño con que se cubren los pescadores, para que yo pueda apreciar mejor la real magnificencia de su estampa. Mi primera impresión resulta desalentadora, porque es tan joven que el mayor de mis hijos debe sacarle un par de años, y tan tímido como una doncella a la que van a desflorar en su noche de bodas. Sólo le falta cubrirse con un velo ceñido de cequíes para parecer una novia mediterránea. No es, precisamente, un fruto en sazón, sino un tallito tierno que anuncia poco zumo. Sus rasgos se debaten indecisos entre los de un efebo griego y un camellero de asram: piel olivácea, ojos de cervatillo y rizos alquitranados sobre una frente baja y concentrada; esbelto como un cretense de caderas estrechas, sus músculos abultados y firmes sólo se afinan en la cintura. Su belleza, en la que percibo vestigios de una fiereza domada, responde al ideal romántico, pero sus ojos elusivos y una mal disimulada languidez delatan su androginia. Estoy desconcertada. Tamara se da cuenta y me dedica esa sonrisa sibilina de quien se guarda bajo la manga algún triunfo secreto. Y es demasiado experta para desmerecer mi confianza.

Pasamos a la habitación que hace las veces de estudio. Tamara ha colocado un diván y lo ha cubierto con brocado rojo de textura sedosa, y ha dispuesto alrededor cestas de frutas y ramos de glicinas, pero antes de elegir la pose definitiva quiere tomar varios apuntes. Siguiendo sus indicaciones, Jerome y yo nos desnudamos. Avanzamos, observándonos con desconfianza de gladiadores, y comenzamos por un acercamiento inicial. Pronto las manos se posan sobre los hombros y van descendiendo lentamente por espaldas, caderas y pechos; poco a poco se aproximan las pelvis, se entrelazan los cuerpos. Jerome tiembla, y cuando su vientre se aprieta contra el mío puedo sentir su desazón en el latido filiforme de la sangre bajo la piel tensísima. Ensayamos posturas de pie, siempre guiados por Tamara, quien dibuja febril sobre su bastidor sin dejar de seguirnos con la vista. Me molestan su sonrisa procaz y su mirada de virgen pútrida. En una ocasión se impacienta ante nuestro envaramiento y ella misma toma la diestra de Jerome para hundirla un poco entre mis muslos apretados. *Mastúrbala*, ordena soez. Jerome mueve la mano con torpeza y ahueca los dedos uniendo en gesto mecánico índice y pulgar, cual si buscara por hábito una masa cilíndrica que no existe en mi entrepierna. Tamara se impacienta y lo abofetea. Jerome recibe el golpe, voltea el rostro y enrojece. Un esclavo. *¡Sangre de Cristo, tienes que meterle los dedos!* –le grita ella– *¡méteselos!* Jerome, nervioso, hinca sus dedos rudos en la carne tibia de mi vulva y me hace gemir de dolor: tiene las yemas ásperas del salitre y las uñas partidas por la fricción del sedal. Tamara le aparta la mano inhábil y me introduce la suya propia para mostrarle el proceder correcto. Sus dedos de ninfa rapaz excavan mi monte de Venus hasta dejar al descubierto la vía del placer; entonces, con cuidado exquisito, inicia un roce apenas, a un ritmo acompasado que va haciéndose por momentos más intenso y veloz. Se me escapa un suspiro y mis párpados tiemblan, se me corta el aliento y el rubor colorea mis senos. La miro suplicante, ansiando que llegue hasta el final, pero en este momento ella es solo una artista que instruye a su modelo. Jerome observa atento la operación, pero su boca se pliega en un rictus que se acentúa cuando Tamara retira sus dedos y él se los nota húmedos de mí. Creo que le disgusta el olor a hembra. Tamara le ordena imitarla y él obedece taciturno. Separo mis muslos para facilitarle la tarea. Ella regresa a su asiento, retoma el caballete y vuelve a dibujar, observándonos con esos ojos que ahora parecen hallarse muy distantes de la escena, como volcados hacia su propio interior. Sus labios se mueven mecánicamente y la escucho tararear con su voz de ánfora vacía:

Tra la la, tra la la,
¡Mi secreto yo guardo
y lo guardo bien!
Tra la la, tra la la...
¡Amo a otro
y moriré diciendo que lo amo!

Jerome empieza a masturbarme. Ahora me lo hace despacio y ya no siento dolor. Como no está viciado por el hábito de acariciar vaginas, sus dedos se mueven a un ritmo que mis sentidos desconocen. La sensación que me provoca comienza a ser intensa, me siento transportada. Busco sus ojos para saber si disfruta como yo, pero él rehuye mi mirada. Cierro los míos y espero el clímax. De repente Tamara aparta el caballete y anuncia que por hoy hemos terminado. Es veleidosa, ¿o envidiosa? Jerome se limpia la mano con disimulo en su delantal y abandona la casa como un fantasma. Tamara me invita a almorzar en su terraza una exquisita carne blanca de atún rociada con vinos especiados de Levante. Desde mi asiento contemplo ensimismada cómo el Mediterráneo, de un violeta profundo, arde bajo un cielo despejado. Ella insiste en que el muchacho es un tesoro, pero me recomienda poner en juego mi fantasía para estimularlo. *Es un marica* –protesto, y me encojo de hombros mientras paladeo calmosamente el vino–. *Que todavía no ha dormido con hembra* –admite con una sonrisita desdeñosa–, *pero si lo trabajas bien, Katinka, te dará satisfacciones que tal vez no conoces. Ya debieras saber que los placeres ambiguos son también los más interesantes.* Siento el impulso de recordarle que no he venido a su casa para fornicar con un infante, sino a encargar un cuadro, pero me contengo porque eso no es tan cierto: también persigo deleites prohibidos que hagan reverberar mi carne adormecida por la monotonía de una vida demasiado fácil. Nunca hice el amor con un adolescente, menos aún con un andrógino. Y no es que no existan en Cuba pero, al menos en nuestro medio, quien padece ese mal lo oculta con todas sus fuerzas bajo la apariencia de una virilidad perfecta (¿acaso no nos llenamos la boca para decir, nosotros los cubanos, que la isla es un país de machos?). Me excita la posibilidad de probar algo nuevo, y me espolea la resistencia de Jerome, su timidez…, y por qué no decirlo: su asco de mí. Indolente, Tamara extiende su pierna por debajo de la mesa y con su pie desnudo oprime suavemente mi vulva, pero sé que no hará nada más, porque ella solo juguetea para enardecerme. Sin duda goza mucho con eso y por el momento le basta. Con un dejo de burla en su voz se ofrece para llevarme en su Bugatti, pero declino la invitación y regreso a mi hotel por el Camino de los Ingleses, que a esta hora, después de la bajamar, está siempre cubierto de crustáceos.

Esa noche vuelvo a revolcarme entre las sábanas de mi lecho imperial, pero esta vez mi insomnio es hijo de mis pensamientos. Ardo en deseos de Jerome, que me rechaza porque *ama a otro*, como dice esa copla de *Carmen* que Tamara tararea durante nuestras sesiones de pintura. ¿Quién será ese amante a quien Jerome prefiere? Trato de imaginarlo y no lo consigo. Cuando al final me duermo, sueño que llego volando a la villa, entro por una ventana y encuentro al dulce mudo adormecido sobre el diván del estudio. Su cuerpo, abandonado a la lasitud de la siesta, reposa ajeno a mi presencia, el rostro vuelto, los párpados cerrados, la mejilla apretada contra el hombro, labios henchidos. Su torso se mueve al ritmo de una respiración pausada, y puedo percibir bajo la piel morena la sombra deslizante de los músculos, como una despaciosa danza de montañas; el vientre, apenas cubierto por el paño aflojado, nace en los muslos entreabiertos; una pierna cuelga al borde del diván, y la otra, curvada, permite avizorar un pliegue íntimo que precede a la soberbia cúpula del glúteo. *El sueño de Endimión*, me digo contemplándolo absorta. Solo ahora, gracias a una de esas misteriosas revelaciones oníricas, descubro la clave de su oscura atracción: púber atormentado por el imperio de un vicio secreto: la entrega total para ser poseído, humillado, violado, y quizás, también, torturado; un suave animal hecho para la voluptuosidad sombría del placer; un pasivo mendigo del goce, dispuesto siempre a transmutar en víctima ese cuerpo donde ha encarnado, por quién sabe qué delicioso capricho de la naturaleza, el príncipe cretense de los lotos. Presiento la suavidad del vello que sombrea sus ingles; retiro el paño con extremo cuidado para que el durmiente no vaya a despertar, y allí, en el centro del mundo, como una perla dormida en su ostra, yace su sexo: tierno y enervante, de un deslumbrante marrón rojizo inmerso en el castaño de los muslos, y de inmediato viene a mi memoria la viva imagen de un tabaco de Vueltabajo. Otra vez las deidades del sueño se han mostrado benévolas conmigo. El mensaje es tan claro que despierto de golpe. Me lanzo de la cama y corro hacia el placard donde guardo mi equipaje. Sí, en mis maletas he traído de Cuba una caja de habanos Romeo y Julieta, marca costosísima, obsequio de Juan para el doctor Panchón

Domínguez, médico de la colonia cubana en París. Pero creo que el buen Panchón va a quedarse esta vez sin sus tabacos preferidos. Me miro al espejo, y el azogue me devuelve la imagen de Clodia Pulcher, matrona impúdica en un marco de pámpanos dorados. Sacudo la cabeza remedando a Tamara cuando dice *trato hecho*.

Al alba tomo un taxi y corro hasta la villa. Encuentro a Jerome en cuclillas ante la puerta cerrada, aguardando con mansedumbre que le inviten a entrar. Bañado en la luz rosácea del amanecer semeja a Ganimedes amado por los dioses. Hoy tenemos una sesión de trabajo difícil, porque Tamara nos hace ensayar posturas yacentes. Nos tendemos abrazados sobre los divanes, sobre las alfombras, sobre los grandes cofres de taracea. Yo lo estrecho con vehemencia contra mi pecho sin ocultarle ya mi deseo, y siento que el cuerpo de Jerome se muestra ahora más dócil a mi reclamo, se adapta mejor a mis curvas y honduras. Y cuando Tamara le indica introducir su muslo entre los míos para crear la ilusión del coito, él hace más: aplasta su boca sinuosa contra mis labios en el amago fugaz de un beso. Me sorprenden la frescura de su boca y la firmeza con que sus brazos me sujetan para que no resbale sobre la tapa convexa de madera pulimentada. Sé muy bien que los años nunca han sido una barrera para el triunfo del amor, y si algún obstáculo necesito vencer con este niño no es mi edad, no es ni siquiera la ambigua cuestión de su sexualidad, sino la pureza inquebrantable de los impuros: su inútil fidelidad al encenagamiento en que ha vivido. Hasta diría que Jerome posee una ética secreta que lo ata a la oscura hermandad de los sodomizados, pero creerlo sería ir demasiado lejos; yo no he venido a idealizarlo, sino para gozar de él, él es mi oscuro objeto del deseo y nada más.

Ya me he decidido. Le digo a Tamara que me agrada para el vitral la última postura: yo, Catalina Lasa del Río, tendida sobre el cofre, la cabeza descolgada hacia atrás mostrando la garganta y un atrevido escorzo de mis senos, y Jerome sobre mí, sujetándome con agresividad como si fuera a violarme; así podré conservar una lasciva imagen de sus nalgas. Ordeno a Tamara que esparza por el suelo unos cuantos ramos de adelfas y narcisos y algunas frutas y copas volcadas. Y si le parece, que aparezca también el portulano, detrás, en la pared. *Después discutiremos los honorarios,* digo, y ya no vuelvo a hablarle con esa intimidad cómplice que he usado con ella desde que nos conocimos, sino con la fría autoridad con que acostumbro tratar a quien trabaja para mí. Y es que Tamara ya cumplió su papel en esta obra y es hora de que haga mutis discretamente. Ella capta el mensaje y no le gusta, pero viene de abajo, es aristócrata solo por matrimonio (en realidad, una golfa), así que me obedece a su pesar y se disipa como polvo en el viento.

Al verse a solas conmigo, Jerome se acurruca en un rincón. Inmóvil, abrazado a sus rodillas, toma el aspecto de un crío a quien la madrastra malvada ha encerrado en el cuarto de castigo, pero bajo su mirada temerosa se solapa una trémula expectativa. Avanzo desnuda hacia él llevando entre mis manos el estuche de habanos como una ofrenda. *Soy la sacerdotisa del tabaco* —me bautizo a mí misma—, *y tú eres su espíritu.* Me arrodillo a su lado y abro la tapa. *¿Has fumado habanos alguna vez?* Jerome niega en silencio sin apartar su vista de los puros. *Es un placer maravilloso* —instilo insinuante en su oído—. *En el humo habita un hada que te hará ver en sueños cuanto desees. Voy a mostrarte cómo se fuma, y si aprendes pronto, te regalaré la caja.* Lo miro fijo a los ojos al tiempo que le coloco un habano entre los dedos: *Atiende bien, Jerome, y hazle a este tabaco todo lo que yo te haga a ti, ¿comprendes?* Jerome asiente muy serio. Con parsimonia ritual retiro el paño que cubre sus calientes ijares de potro, y tomo su virga entre mis dedos índice y pulgar. Compruebo sin sorpresa su total semejanza con la que vi en mi sueño. *Lo primero es elegir un buen habano* —le digo con una voz de la que en vano intento suprimir la emoción que me embarga—. *El buen habano debe ser prieto al tacto y bien elaborado; firme, pero no duro; hay que palparlo ligeramente...* —y mientras, presiono su virga como si quisiera comprobar su dureza—. Enseguida Jerome me imita palpando de igual forma su tabaco. El miembro comienza a despertar de su pesado sueño, pero aún está lejos de tener la consistencia necesaria. Jerome me deja hacer con la mirada extraviada. Hago un esfuerzo violento para continuar con mi lección: *El tamaño del habano* —musito con una voz enronquecida por mi deseo sucio, animal— *lo elegirás de acuerdo con el tiempo que tengas para poder disfrutarlo. Hoy tú y yo disponemos de la noche completa... Pero lo primero es oler* —acerco mi nariz a su entrepierna y aspiro deleitosa; de allí brota un vaho cálido mezcla de salitre, madera y sudor, que me estremece las entrañas... Jerome aspira su tabaco, al principio mecánicamente, pero una repentina distensión de sus facciones me indica enseguida que el olor le ha resultado agradable. *Los habanos cubanos tienen aromas únicos* —susurro—; *pueden oler a chocolate, a setas, vainilla, nueces...* Jerome aspira por segunda vez el puro que sostiene entre el pulgar y el índice, y ahora sí se permite una tímida sonrisa de placer. *Vamos a cortarle la punta* –lo interrumpo–. Jerome deja de sonreír y se sobresalta como un niño, mirando alternativamente a su miembro y a mí. *Con una guillotina pequeñita,* –le explico–, *pero como no tenemos, vamos a hacerlo con los dientes.* Mi cabeza se abate sobre su sierpe, que ante mi ataque se enrosca despavorida; mordisqueo codiciosa el diminuto orificio de su glande y la virga vuelve a entrar en razón: el vientre de Jerome se contrae en un espasmo involuntario, pero él se domina y a su vez descabeza su tabaco de una ágil dentellada. *Está muy bien* –lo estimulo, mientras con mi mano libre le oprimo dulcemente la bolsa del escroto y el montículo umbroso–, *pero ve con cuidado para que no desgarres la piel de tu habano. Ahora, se procede a retirar la anilla...* –ejemplifico empujando hacia atrás el prepucio fuerte y rugoso–. Jerome, como un autómata, desliza la vitola de su puro. Su pelvis, ya seducida, avanza velozmente hacia mi boca: *¡No!* –lo detengo–. Ahora viene *el corte y hay que hacerlo con mucha precisión, justo sobre la línea donde el gorro se une a la capa* –y para marcar bien el sitio me ensalivo las puntas de los dedos y le froto con mucha suavidad el borde del glande y el frenillo engrosado y tirante. Jerome suspira y arde y parpadea. Saco de la caja un trozo de corteza de cedro, lo enciendo en la llama de una vela y se lo entrego: *Ahora le acercas la candela a tu tabaco y lo enciendes así...*

–comienzo a pasar mi lengua mojada por la punta del glande; acaricio, presiono, raspo en lentos movimientos circulares que lo encierran en un estrecho cerco de tibiezas. La frente de Jerome se cubre de sudor, y cuando acerca la corteza encendida al borde de su habano, pequeñas perlas húmedas aparecen sobre sus hombros. Lo siento estremecerse y jadear. A estas alturas de nuestro juego ya su tabaco se ha vuelto duro y firme, con la consistencia necesaria para ser fumado. Sin embargo, todavía debo esperar un poco, porque una vez que se ha prendido el habano, hay que mantenerlo cierto tiempo cerca de la llama: *Mientras más grueso, mayor tiempo será necesario para garantizar que se mantenga encendido* –le explico, y continúo ensalivando su primavera, que alcanza ya tamaño codiciable. Poco a poco voy abriendo círculos más amplios e imprimiendo a mi lengua mayor velocidad. Mi cabeza gira para mejor circunvalar su breva pantagruélica. Jerome entiende y hace girar el puro entre sus dedos, manteniéndolo en contacto con la llama de cedro. *Así se quemará bien parejo* –apruebo–. Jerome cierra los ojos y suspira. Bajo el continuo frotar de mi lengua su glande ha enrojecido y ahora se asemeja a una seta inmensa, amanita gloriosa que pronto ha de llevarnos a la cumbre del éxtasis divino. Antes de seguir, tomo una copa con restos de *cham-*

pagne: *Esto no deberás hacerlo nunca cuando fumes en público* –le advierto–, *pero aquí nadie nos mira.* Sumerjo su glande en el licor y le entrego la copa. Jerome la toma y hunde la punta de su tabaco en la bebida, y paladea el sabor al mismo tiempo que yo devoro su zeta emponzoñada, y chupo, y lamo en círculos, y sigo chupando y lamiendo hasta sentirlo trémulo bajo la pérfida caricia de mis manos. Al fin el vientre endurecido se rebela y ansía ya liberar sus ardores: *No, Jerome* –suplico–, *es pronto aún; el sabor de un habano solo se vuelve intenso después de haber fumado más de la mitad.* El muchacho está tan excitado que apenas logro contenerlo acudiendo al vasto repertorio de mi arte de amar. Al fin, condeno su tenso bulbo a la lúbrica faena de mis belfos, mientras mis manos, ávidas, se ocupan de sus nalgas. Me sorprende la resistencia extraordinaria de un recinto posterior habituado a hospedar invasores violentos. Insisto, penetro en el túnel y mi presa desfallece una vez más. *¡Sigue fumando, sigue!* –lo exhorto con vehemencia– *¡Manten el humo en tu boca, paladea su sabor…! El tabaco no se puede apagar, Jerome, hay que dejarlo arder hasta que se consuma…!* Pero he colmado su medida. Fiel al ritual fumador, me aparto antes que la ceniza hirviente se derrame en el suelo. Jerome mantiene su erección todavía un instante, mientras me mira con ojos desorbitados por la desenfrenada locura de su goce, y al final, se derrama sobre su propio vientre como un manantial recién nacido sobre la falda de un monte. Voy sorbiendo sus jugos mientras dejo que su cuerpo vencido se desplome en mis brazos, y reconozco en el temblor gimiente de su carne que ha descendido al fondo del abismo. Su tabaco decrece lentamente, y acabamos los dos compartiendo la agónica dulzura de la culminación. Jerome no me ha tocado, pero no ha sido necesario: mi sexo arde como una fragua. ¡Dios, yo nunca había probado un erotismo tan enloquecedor! Mi amante continúa extenuado y no encuentro otro remedio que aplacarme a mí misma.

Mi estancia en Niza llegaba a su fin y a la mañana siguiente viajé a París. No volví a verlo, pero nunca dejé de pensar en él y su imagen me persiguió durante mucho tiempo. Regresé al año siguiente y fui a su aldea con intención de buscarlo. Me contaron que había muerto en circunstancias extrañas poco después de mi partida. Desapareció durante días y unos niños hallaron sus restos incinerados en un basural. Se sospechó de un comerciante árabe que era su amante y lo habría matado por celos; aquel hombre era el verdadero dueño de la casa donde enseñé a fumar al bello mudo infeliz. Según otra versión, lo asesinaron unos pescadores para robarle cierta caja de habanos carísimos que Jerome guardaba con gran celo y jamás aceptó compartir. Averigüé algunos detalles de su vida. Supe que había nacido de una mujer argelina, esclava fugitiva del harén de un turco. Madre e hijo vivían pobremente de la pesca, y cuando había posibilidad de obtener buena paga, Jerome se acostaba con turistas que iban a la aldea recomendados por amigos a quienes el muchacho vendiera anteriormente sus favores. Recordé súbitamente la presencia en los alrededores de Cocteau y Radiguet. No hubo ninguna pesquisa policial. Jerome era un mísero prostituto sin apellidos y ni siquiera poseía documentos; no era nadie, como si no hubiera existido jamás. ¿A quién le iba a importar que alguien lo hubiera supliciado?

Pero yo tengo mi propia sospecha: Tamara Lempicka fornicaba con el comerciante musulmán que le rentaba la villa, y los dos habían usado al mudo muchas veces, quizás a cuatro manos, quién sabe. Al recordar ahora la sombra de locura que acechaba en los ojos de aquella mujer, no me parece que fuera incapaz de cometer tal crimen, en un intento demencial por empujar, siempre más lejos, la frontera que impide a los mortales dilatar hasta el infinito la fuente oscura del placer.

La muerte de Jerome me perturbó más allá de cuanto hubiera creído, porque durante el año transcurrido desde nuestro primer y único encuentro lo había recordado muchas veces. Hubiera querido obtener de él más que un orgasmo, auque haya sido el mejor de mi vida. A pesar de su extrema juventud, o quizás por ella misma, yo hubiera deseado que paseáramos juntos al amanecer por el Camino de los Ingleses, pisando caparazones de crustáceos muertos y espantando gaviotas confundidas; contemplar tomados de las manos la puesta de sol sobre las aguas negras de la bahía, y asistir abrazados entre las piedras desnudas del anfiteatro a la representación de *Medea* o *Edipo en Colonna,* viendo rielar la luna antigua del Mediterráneo en su perfil de loto principesco. El mundo encantado de un primer o de un último amor. Y hubiera querido que él lo supiera. Tal vez mi confesión habría dado algún alivio a su melancolía, redimiéndolo, aunque fuera un poco, del terrible desprecio de sí mismo que seguramente lo abrumaba, y que debió amargar su breve vida.

Cada atardecer, cuando en mi casa del Vedado hiere la luz aquel vitral para el que un día los dos posamos juntos, se me escapa un sollozo que a duras penas consigo sofocar. Vuelvo a sentir la oliva de su piel fundiéndose al calor de mis caricias; veo su faz sombría contemplándome bajo el opaco resplandor de un pebetero, y en ocasiones, hasta creo escuchar la grave voz de una Tamara invisible y maldita cantando por los rincones una última copla de *Carmen*:

> *El dulce hablar*
> *de los amantes,*
> *sus promesas y éxtasis,*
> *todo es humo*
> *que por el aire asciende al cielo...*
> *asciende al cielo...*

Georgina (Gina) Picart Baluja, (La Habana, 1956). Periodista, narradora, asesora literaria, investigadora y guionista de cine. Ha publicado los volúmenes de cuentos *La posa de ángel, El druida, La ciudad de los muertos* e *Historias celtas*; la novela *Malevolgia* y la noveleta de género y época *El reino de la noche*; el libro de ensayo *La poética del signo como voluntad y representación*. Su cuento "El príncipe de los lirios", incluido en esta antología, resultó Primera mención del jurado del Premio Julio Cortázar 2007 y está incluido en *Oil on cambas*, Premio Alejo Carpentier de Cuento 2008.

Tabaco para un Jueves Santo

Lisandro Otero

«Un buen martillo hace una labor mejor y causa menos fatiga que uno mal fabricado que tenga una cabeza de hierro colado y un mango de forma inadecuada. Un martillo de buena calidad es recio y duradero; la cabeza ha sido tratada al calor para darle el grado de dureza adecuado y el mango está hecho de nogal americano de veta recta, escogido y cortado especialmente para proporcionar a la herramienta el equilibrio correcto.»

(Mecánica Popular)

1

Hay que ponerse en mi lugar, yo no soy más que un pobre carpintero que gano quince a la semana, si los gano, y ahora viene Pepe Sabina y me pone en este compromiso. El día fue pesado. Al atardecer empezó a refrescar un poco pero yo seguí sintiendo calor porque el mío viene de adentro. Estoy parado en la puerta de casa. Siento cómo el viento pasa y me acaricia los pies que tengo encima de las chancletas sin calzar. Desde que pasó Mecha no he vuelto a ver a más nadie. El aire de la noche está cargado, respiro hondo y siento mis pulmones llenos de humedad. Veo desde aquí la luz del farol de la panadería.

Marisol es muy viva, ella sabe lo que le gusta y lo que no le gusta y dice que este tipo Sabina es de lo peorcito. Marisol es mi hija. Me gusta oír cuando ella habla porque se aprende mucho. Después de todo ella tiene una carrera y puede ser maestra si alguien le consigue un puesto. Ella está loca, lo que se dice loca, por salir de esta casa y del barrio. Ahora estamos esperando a ver qué dice Paco Purón de su gestión en el Ministerio. Paco dice que él es amigo de uno que es alguien y que él resuelve eso en un dos por tres y yo creo que tiene razón porque dos por tres son seis y hará unos seis meses que Paco está trabajando ese nombramiento.

Estoy escuchando la voz clara de Marisol. Está cantando suave, quedito y se le entienden todas las palabras. Esa muchacha vale, ya me lo dijo Doña Luisa Luz, su maestra, que fue como una madre para ella desde que mi difunta Lola nos dejó. Marisol tiene razón cuando dice que no le gusta esta casa. Hace muchos años yo pensaba en trabajar hasta matarme y en ganar mucho y así lo hice. Bien sabe mi difunta

Lola que está en el cielo que por poco me enfermo del pecho. Luego pensé: «Y si en medio de esto me vienen a buscar, ¿qué? Ni el cielo ni nada porque yo no voy a misa... ¿Entonces?». Empecé a aflojar. Ahora, fastidiado como estoy, nadie me quita lo bailado. A Marisol no le gusta como estamos. Yo la entiendo, pero así son las cosas y hay que ir tirando. Ella no ha parado de superarse. Ha estudiado duro mientras crecía y ahora es una mujer instruida y bonita que a veces me recuerda a mi Lola. Marisol tiene veintidós años y a esa edad una mujer es, como si dijéramos, un pez que espera ser ensartado y uno no sabe cuándo, ni de dónde, ha de venir el anzuelo.

Cuando pasé por el café hace un rato vi sentados allí a Sabina y a Gil Moleón como si tal cosa. ¡Cuando yo digo que en esta vida hay que ver muchas hipocresías! Gil Moleón es un gallero de monta, hay que ver los animales que tiene. En el traspatio de su casa están los gallos finos más lindos que hay en La Habana y eso es ahora que se vino para la capital que cuando estaba en Ciego los tenía mejores. Pepe Sabina no es nada. Es un tipo que anda por ahí viendo lo que se cae para recogerlo él. Algunos domingos va a la valla[1] pero él no es aficionado de verdad. En una de esas vueltas fue como se enredó con Gil.

1. *Valla:* sitio donde se hacen las peleas de gallos.

Gil dice que para criar gallos no hay como el campo, que no hay gallito del Cerro que se le eche encima a sus bichos de Ciego de Ávila. Sabina con su picardía se olió alguna oportunidad porque discutió mucho con Gil sobre esto y es sabido que Pepe Sabina no discute por gusto. Eso fue el Domingo pasado, antes de empezar la Semana Santa; en medio del guano bendito[2] Sabina estaba pensando en guano[3] del otro. Allí mismo quedó hecha la apuesta para el Domingo de Resurrección. Gil y Pepe hablaron delante de todos. Sabina quedaba comprometido a buscar un gallo para echárselo al único animal que tiene Gil disponible ahora, el Canelo. Conociendo la maldad del alma de Sabina algunos aconsejaron a Gil que pusiera una condición que le diera cierta seguridad a la apuesta (porque como es natural de esa apuesta saldrían otras apuestas y no todo el mundo está dispuesto a perder su tiempo y su dinero). El asunto quedó así: se cruzaba una apuesta a ganar entre dos gallos. Uno conocido, el Canelo de Gil y otro desconocido, el Tapao de Sabina. Cualquiera de los dos que no se presente en la valla a las tres de la tarde del Domingo de Resurrección pierde la apuesta y los cincuenta pesos. De esta manera se sabía que Pepe no los iba a embarcar.

2. *Guano bendito:* palma bendita.
3. *Guano:* dinero.

Hoy es Jueves Santo. Pienso en Sabina y casi que me echo a temblar. No es que le tenga miedo pero ese hombre es malo, malo de verdad, lo que se dice malo. Por muy valiente que uno sea no se siente seguro cuando está ante una potencia del mal como es Sabina (Santa Bárbara sabrá de esto).

2

La cosa empezó así. Estaba yo ayer por la tarde terminando mi trabajo en el taller, porque ahora estoy trabajando en «Diluc S. A. Muebles Contemporáneos», lo que habla muy alto de habilidad de carpintero; pues estaba terminando allí cuando se apareció Sabina. Al principio yo no lo vi, estaba pasando un tablón por la rebajadora y ya se sabe el cuidado que hay que tener con los dedos cuando se está en esto. Oí un ruido como el de un aparato de Flit[4] y me viré. Sabina estaba asomado a una ventana del taller haciéndome señas para que saliera. Me extrañó esto porque cuando Sabina ha querido entrar en el taller lo ha hecho sin que nadie le diga nada. Como ya era cerca de las cinco apagué el motor de la rebajadora, eché el tablón a un lado y me sacudí con el pañuelo el aserrín que tenía prendido en el cuerpo por el sudor.

4. *Flit:* insecticida.

Recogí las herramientas, las eché en la caja de madera y cargué con ellas.

Cuando me asomé a la puerta no vi a Sabina. ¿Qué cosa mala se traerá éste?, pensé. Eché a andar en dirección a casa y al cruzar la primera bocacalle me sale Sabina y me arrastra a un lado. Estaba muy interesado en que no nos vieran juntos. Seguimos caminando sin hablar como media cuadra. Sabina se detuvo junto a un auto que estaba parqueado y me dijo que montara, no era gran cosa, un cacharrito del cuarenta y ocho que todavía camina. Yo subí al asiento delantero, él dio la vuelta y se sentó junto a mí. Arrancó, puso la primera, quitó la emergencia, desenclochó y aceleró. Salimos rápidos del barrio. Dimos vueltas por Agua Dulce y por Dolores mientras él hablaba. ¡Y qué es lo que me propuso!

Comenzó hablando de la vida y yo le dije que eso era una marca de galletas, que abreviara. Él se hizo el que no entendía. «El mundo es duro», dijo, «como que está hechecito de piedra», le contesté. Sabina me preguntó si yo no era un hombre serio, yo le dije que sí pero que sabía que él es muy mañoso y no iba a dejarlo que me bajeara. Él siguió como si tal cosa, que cada hombre tiene derecho a defender lo suyo como sea, que el problema es subir, que cuando uno se encarama todo lo que hizo estuvo bien hecho, que él es un hombre honesto, me recalcó, que solo hace lo mejor sin olvidarse de él.

En resumen Sabina me propuso una acción sucia. Dijo que le convendría mucho ganar los cincuenta de la apuesta y que contaba conmigo para ganar. Luego me dijo cómo va a ganar. Yo me escandalicé al principio. Si alguien no le para los pies, y pronto, a este Sabina, algo grande va a pasar un día. Él me siguió hablando y hay que pensar que yo sólo soy un carpintero que gana quince semanales, si los gano. Sabina me dijo que ahora no puede pagarme porque no tiene dinero pero que le regalaron una caja de tabacos nuevecita, con los sellos pegados todavía, que puedo vender en seis o siete pesos por ahí. Precisamente esta tarde estuve hablando con el capataz de «Diluc S.A. Muebles Contemporáneos» y me dijo que para la semana que viene voy a estar sobrando. Una semana que no ganaré los quince. Esto me dio que pensar y cuando Pepe Sabina me vio titubear dio por hecho el trato. Yo, por no decir que no, le dije que sí.

3

Todo eso sucedió ayer. Ahora estoy parado en la puerta de mi casa. Llevo un buen rato aquí pensando en las cosas. Cada vez que me acuerdo de lo que tengo que hacer me siento mal, pero se me pasa y cuando escucho a Marisol cantando me siento bien otra vez. Esa muchacha está muy contenta esta noche. Ha arreglado el cuarto porque viene Paco Purón a rendir cuentas de sus gestiones en el Ministerio. Marisol cree que falta muy poco para que le den el nombramiento.

Paco Purón se acerca. Cuando pasa debajo del farol de la panadería se le ve blanquito y empaquetado, como si estuviera acabado de hacer. Viene de guayabera blanca muy almidonada, un lazito de colorines y zapatos de dos tonos. No me gusta este muchacho. Es un aspirante a chulo pero lo que es con mi hija no se estrena. Como yo me huela que éste viene con un anzuelo cebado la va a pasar mal.

Yo quedé con Pepe Sabina en que el trabajo se haría esta noche y así será. Lo estoy esperando porque le dije que quería mi pago por adelantado pero Sabina se demora y yo no puedo esperar mucho más. Después de las once Gil Moleón se va del café y su casa está cerquitica. Voy a esperar un rato más, si no viene Sabina le meto mano al asunto, ya nos arreglaremos.

Paco llega junto a mí, me saluda. Yo le contesto sin mucho embullo. Entra. Él sabe que yo lo mastico pero no lo trago. Viene oliendo mucho, no aguanto a los hombres que se echan perfume. Marisol le habla con alegría. Ella está sentada en el silloncito de mi difunta Lola y él echa mano de mi taburete. Marisol es una muchacha rara, con toda la instrucción que tiene debía saber cómo distinguir un hombre bueno de uno malo. Este Paco Purón es un macao, no camina, se arrastra. Es sargento político y ha aprendido bien su oficio. Hasta a mí, que no soy nadie, siempre me está echando flores. En cambio, Roldán Miguel, el muchacho que trabaja conmigo en «Diluc», sí es un hombre de verdad. Ese camina en dos pies con dignidad y limpieza y sabe trabajar. Roldán viene a cada rato y habla con Marisol pero ella ni se peina ni se hace papelillos. Con este Purón la cosa es diferente. Una mañana en que yo no tenía dinero para el almuerzo (ni lo había tenido en dos días consecutivos), Marisol me gritó que con tal de salir de esta miseria ella era capaz de todo, de todo. Aquel día estaba un poco nerviosa, el hambre siempre lo pone a uno así, pero no dejo de comprender que un fulano como Purón puede ofrecer más, gracias a sus porquerías, que un muchacho honesto como Miguel. Quizás eso sea lo que ha visto Marisol y forma parte de su juego. De todas formas tengo que vigilar.

Pienso en algo que tengo que decidir ahora; la forma en que voy a matar al gallo. Tiene que ser algo rápido. Le podría echar veneno, pero... ¿Con qué veneno se mata a un gallo? Un gato o un perro sería fácil: vidrio molido o estricnina. ¡Pero un gallo! Lo mejor es lo rápido: un cuchillo. El cuchillo de la cocina de aquí está algo viejo y no picaría bien, tendría que pedir uno prestado y eso es lo mismo que dejar mi nombre y dirección al lado del gallo muerto. Hay que pensar en otra cosa, hay que... entre mis herramientas seguro que hay algo que me sirve (todo esto es muy bajo, pero hay que comer). Un golpe de martillo, eso. Le doy un golpe en la cabeza y a viaje, es lo menos sangriento y es fácil.

Le pregunto a Marisol la hora y me contesta Purón que las diez. Me queda una hora. No puedo esperar más por Sabina. Cuando venga con la caja de tabacos que se la dé a Marisol. ¡Ojalá sean tabacos finos! Mientras más finos más dinero. Cuando entro en busca del martillo veo a Marisol muy pegada a Purón y él le habla bajito rozándole la oreja con los labios. Al verme se separan. Esto no me gusta, voy a acabar con este asunto, mañana le hablaré a Marisol. Revuelvo mi caja de herramientas y escojo mi martillo más pesado.

Tengo uno más pequeño de tapicero, pero ese no serviría ni para dejar tuerto al Canelo. Me engancho el martillo en el cinturón, me paro en la puerta de nuevo y espero otro rato. Algo habrá demorado a

Sabina. Me preocupa mucho el dinero que me puedan dar por esa caja de tabacos. Con eso cuento para ir tirando la semana que viene.

No puedo esperar más, voy para casa de Gil.

4

Pienso que no es mala idea llegarme al café para comprobar si Gil Moleón está allí todavía. Doblo a la izquierda y camino media cuadra. No me acerco mucho para que no me vean. Allí está Gil y además Lico y Manolo. El que no está es Sabina. Vuelvo sobre mis pasos, llego a la esquina y sigo recto hacia la casa de Gil. Camino muy apurado ahora. Las casas están cerradas y hay poca luz. Me falta una cuadra para la casa de Gil. Pienso que si la tertulia del café se disolvió en el mismo momento en que yo viré la espalda, ahora están a media cuadra detrás de mí. Me vuelvo, no hay nadie, sigo caminando rápido. La casa de Gil está pintada de gris y tiene un portalito con un columpio para el hijo. Me pregunto si habrá perros pero eso lo sabré en cuanto brinque la cerca. No hay luces por el frente, doy unos pasos y reviso la casa por el costado. Está todo apagado. Es el momento. La cerca es de alambre de púas y me cuesta algún trabajo meter los zapatos para apoyarme entre los hilos. Hago el esfuerzo, me empino, cruzo un pie, el otro y me lanzo. El golpe de mi cuerpo al caer sobre la tierra hace demasiado ruido. No hay perros. Tengo que encontrar al gallo, Sabina me explicó bien que es el único bicho fino que tiene Gil ahora. Hay muchas gallinas. Camino agachado y voy mirando dentro de los gallineros.

Veo el Canelo de Gil Moleón, el animal destinado a matar al esperpento de Sabina el Domingo de Resurrección. Gil me ha ahorrado trabajo, el bicho está amarrado por una pata a una maderita clavada en la tierra. Me llevo la mano al cinto y toco la cabeza fría del martillo. El gallo está despierto, me mira con un ojo y después con el otro. Yo me le acerco muy despacio. El animal se pone inquieto y camina de un lado para otro. Estoy tranquilo un rato esperando que se calme. Doy un salto y se me escapa escandalizando. Ha empezado a cantar, hace un ruido raro con el buche y vuelve a cantar. Me le tiro otra vez y se me va por un lado. Abre y cierra las alas y da saltos, el cordelito me lo aguanta. Me le encimo y lo agarro por el cuello. Lo trinco duramente bajo el brazo izquierdo, ahora no se mueve mucho. Busco algo donde asentarle la cabeza, veo un cajón y trato de apoyarlo en él. Con la mano derecha saco el martillo del cinturón y lo agarro duro por el mango. Estoy preparado, espero a que deje de mover la cabeza para sonarle el mameyazo. Sigue moviéndose. Ahora se detiene.

He sentido cómo se me embarraba la camisa, la cara y los brazos al estallar la cabeza del gallo. Todo se esparramó con el golpe del martillo. Sin mirarlo lo tiro en un rincón al lado de la basura y me limpio con el pañuelo. Ahora tengo que salir de aquí.

–¿Quién es? –grita una voz de mujer–. ¿Quién anda ahí?

Me dirijo rápido a la cerca. La brinco, estoy fuera, echo a correr. Seguramente es la mujer de Gil. No me ha reconocido... creo. Nadie me sigue pero continúo corriendo. Llego a la esquina del café, aflojo el paso para no llamar la atención. Está abierto todavía pero Gil ya no está allí. Siento cómo el sudor me brota y rueda por la piel. Corro rápido, no pienso más que en correr, en huir de allí, en que no me vean. Estoy jadeante y la cabeza me late.

Me detengo frente a la puerta de casa y saco el llavín. Adentro todo está oscuro. Enciendo la luz del techo. Es un bombillo de pocas bujías que no se ve desde la calle. Marisol no está en su cama. Es raro, ella siempre está durmiendo a esta hora. ¿A dónde puede haber ido? Me siento en un sillón en el medio del cuarto. Es el sillón de mi difunta Lola. ¡Si ella estuviera a mi lado para ayudarme! No veo la caja de tabacos por aquí. Me pregunto si Pepe Sabina me habrá dado la mala en todo esto. No sé si Marisol habrá sido capaz de largarse con Purón. Eso nunca se lo perdonaría. A pesar de su instrucción y del ejemplo que le dio mi difunta Lola ella es capaz de una barbaridad con tal de tener cosas buenas.

La luna entra por la ventana abierta y dibuja la reja en el piso. Corre una brisa suave que me seca el sudor. Me siento nervioso, molesto, sofocado. Hay que ponerse en mi lugar, yo no soy más que un pobre carpintero que gano quince a la semana y ahora viene Pepe Sabina y me pone en este compromiso.

Lisandro Otero (La Habana, 1932-2008). Periodista, narrador, ensayista y diplomático. En 1949 publica su primera crónica en *El País-Excelsior* y a partir de ese momento se desempeña como periodista en importantes publicaciones periódicas del orbe: Argelia, Vietnam, China, Corea, labor que mantiene conjuntamente con su carrera diplomática en Chile, Inglaterra y la Unión Soviética. Preside la UNEAC desde 1986 hasta 1988. En 1990 ingresa en la Academia Cubana de la Lengua como miembro de número. En 1994 se instala en México como editorialista de *Excelsior* y recibe en 1997 el Premio de Periodismo que otorga el Club de Periodistas de ese país. En 2002 se le otorga el Premio Nacional de Literatura de Cuba y preside la Academia Cubana de la Lengua hasta su muerte.

Posee una vasta obra publicada, entre las que destacan: el libro de cuentos *Tabaco para un Jueves Santo y otros cuentos cubanos*, las novelas *La situación, Pasión de Urbino, En ciudad semejante, General a caballo, Temporada de ángeles, Árbol de la vida, Charada y Temporada de ángeles* (Primer finalista del Premio Rómulo Gallegos) y las memorias *Llover sobre mojado*. Su labor periodística se recoge en *Cuba ZDA, En busca de Vietnam, Trazado, Razón y fuerza de Chile: tres años de unidad popular* y *Disidencias y coincidencias*.

La pipa de cerezo

Félix Pita Rodríguez

Stanislaw Pawlesky dio por redondeada su vida, en perfección sin mácula, el día 19 de abril, cuando, al salir de Jacob's Store, llevaba en su mano derecha un paquete de quince centímetros por cinco, conteniendo una admirable pipa de cerezo.

Stanislaw nació en Cracovia, último vástago de una larga dinastía de sastres, el 19 de abril de 18... Al adquirir la pipa en Jacob's Store acababa de desembarcar en los cuarenta años. Veintiséis llevaba ejerciendo su hereditaria profesión en Londres, catorce aspirando a disponer sus compromisos de una libra esterlina para comprar la pipa de cerezo. Al salir de Jacob's Store acababa de cumplir cinco minutos de felicidad.

Durante catorce años, salvo una vez que estuvo en cama con pulmonía, todas las mañanas, al *pasar* frente a Jacob's, se detenía unos minutos a detallar la formidable colección de pipas expuestas en el escaparate. Llevaba algo que podría llamarse inventario de las existencias. Conocía a las antiguas y las amaba como cosa suya, como de su familia; su memoria no fallaba en el saber en qué ángulo del escaparate estaban expuestos, antes de detenerse ya sabía lo que iba *a* ver, pero se detenía siempre con el anhelo fresco y un sabor de sorpresa cada día. Cuando había novedades, su placer desbordaba ya las márgenes como una espuma de cerveza. De boj, de cerezo, de cerezo silvestre, de espuma de ámbar, de melocotón, de terracota; todas las sabía, las distinguía sin titubear, brillaban con sus nombres propios en un como planisferio pequeño constelaciones tan inasequibles a las manos de su economía como inasequibles a sus manos las constelaciones de la astronomía. Pero, sobre todas, aquellas de cerezo, ejemplar magnífico alrededor del cual bailaban sus ansias, y al que protegía como un aviso de tabú el redondel de cartulina donde resaltaba en rojo la cifra fatídica: 1 libra esterlina. Porque hay que confesar que al desgraciado de Stanislaw, jamás su profesión le permitió tener vacante una cantidad tan desmesurada. Su temor constante durante aquellos catorce años fue el de llegar una mañana y que su pipa no estuviese. El infeliz temía, con razón, que el tal suceder le produjese un golpe nervioso que lo sacara de su eje para siempre. Pero una voz interior se lo aseguraba y él se lo había jurado, que antes de cumplir los cuarenta años la pipa sería suya. Y efectivamente, Stanislaw nació a las once de la mañana de un 19 de abril, y este 19 de abril, a las once menos veinticinco de la mañana, la pipa fue suya. Por justamente veinticinco minutos venció al destino. Y por primera vez en su vida pudo decir que era completamente feliz.

Un sol rejuvenecido paseaba su larga cola por el mundo. Primavera. Primavera sobre la tierra y alegría concisa, concreta, indivisible, en todos los corredores del alma de Stanislaw. Su paquetito de 15 x 5, planeando al extremo de una cinta, tenía un prestigio máximo de billete de entrada al paraíso. Stanislaw decidió que aquel *día* era fiesta nacional. Abdicó de su oficio y se fue, calle adelante, saltarineando, una canción jovial atravesándole verticalmente, y pensando a borbotones que, después de todo, la vida era un algo concreto y la felicidad también.

La alegría pura es un motor descomedido. Sus impulsos inconexos, su dionisíaca independencia, son los solos gladiadores capaces de vencer al gigante negro y adormilado del hábito. El contento fue cabalgadura que llevó a Stanislaw, por encima de sus cuarenta años de abstemio, a encallar en una cervecería. Curioso fenómeno éste, que hace que el hombre que experimenta una gran alegría, experimente al mismo tiempo una necesidad desaforada de ingerir mixturas líquidas de base alcohólica. En la cervecería hizo varias amistades, charló abundantemente sobre todos los temas, él, animalillo silencioso por naturaleza, casi misantrópico, y relató con léxico lírico de inusitada riqueza la historia con desenlace feliz de la compra de su pipa.

Madame Pawlewsky y sus cuatro prolongaciones pawleskianas, vieron aparecer a la hora de la cena un Stanislaw de caramelo, relumbrante por el regocijo, portador de una docena de pasteles de almendra, y un poco borracho.

Durante la cena, Stanislaw desarrolló una locuacidad jovial; recordó su infancia en Cracovia y hasta hizo, por primera vez en su vida, oscuras alusiones a un futuro en que él sería propietario de una gran sastrería y podrían ir al teatro cada vez que quisieran. «Después de todo –dijo como colofón glorioso– la vida es de los hombres de voluntad, y todo está al alcance de aquel que se siente capaz de conseguir lo que sea». Y acarició su paquetito de 15 x 5, aún sin abrir.

Después del café se sentó, casi horizontalmente, en un viejo butacón de cuero, abrió al azar un ejemplar atrasado del *Telegraph*, y encendió con ceremonial de Gran Mago a la hora de los sacrificios, su pipa de cerezo.

Humo. Humo. Alegría. Serenidad. Todo aquello era demasiado rotundo, demasiado pesado para ser sostenido por los débiles hombros de Stanislaw. Lo envolvieron las ensoñaciones de un futuro magno; le disolvieron la actualidad los sueños, y, aplastado por océanos, cordilleras, continentes de felicidad, Stanislaw se fue quedando amablemente dormido.

Con la mañana siguiente, el vértigo se serenó. Las ruedas dislocadas se ajustaron. El galope atropellado se hizo trotecillo rítmico. Stanislaw despertó nuevamente. El adormilado y negro gigante del hábito derrumbó a los gladiadores. Y Stanislaw, con la pipa de cerezo ya casi olvidada en el bolsillo, salió para su taller, callado, quieto, sin cosquilleos ni canciones y sin observar ni importarle nada que hubiese llegado o no la primavera. Sólo le acuciaba, casi indistinto, difuminado por las circunstancias, un viejo anhelo que no tomaba forma quién sabe por qué. Al llegar frente a Jacob's Store, un automatismo edificado por catorce años le impidió recordar que su estrella animadora reposaba ya, sin brillo, con la tristeza mate de las cosas conseguidas, en el fondo de su bolsillo. El Stanislaw de ayer se hizo laguna en el texto, y el Stanislaw de hoy no pudo, no supo, no quiso ver otra cosa que la falta de su pipa en el escaparate. Su anhelo de catorce años no estaba allí, faltaba, había desaparecido. Esto era todo. Frente a aquel hecho terrible, su triunfo del día anterior era letra muy reciente y muerta. ¿Cómo recordarlo? Para ello hubiese sido necesaria la fuerza de un dios, y Stanislaw no era más que un hombre, pequeño, débil y sastre, nacido cuarenta años antes *en* un barrio al sur de Cracovia.

Frente al escaparate de Jacob's, le recogió la ambulancia del Hospital de Urgencia: fiebre maligna, provocada por un choque nervioso, diagnosticó el médico. ¡Tonterías!

Vivió catorce días –uno por año de anhelar–, pidiendo continuamente en su delirio le devolvieran su pipa de cerezo. Cuando la enfermera le tendía la que habían encontrado en sus bolsillos, la rechazaba con un gesto de disgusto, y lloraba con tal angustia, que hasta el médico, animal sin lágrimas, sollozaba apenado.

En los momentos de la agonía, una extraña sonrisa ocupó el lugar de su mueca angustiosa de solicitud, y fue quedando sereno, sereno, como si le acariciase un tierno soñar. Por último, un suspiro y cayó en los escaparates de las pipas del cielo.

Félix Pita Rodríguez (La Habana, 1909-1990). Fue un niño avispado que pronto aprendió a sobrevivir en los bajos mundos, entre hombres rudos a quienes vendía historias escritas y copiadas por él. Cabalístico, supersticioso, fantasioso, nos ha legado una obra diversa y pionera en poesía y en narrativa.

De forma autodidacta el joven Félix se hace periodista y llega a colaborar con el importante «Suplemento Literario» del *Diario de la Marina* y en la *Revista de Avance* (1927-1930). Como polizón viaja a México, donde se abre camino gracias a su talento y espíritu emprendedor. Más tarde recorre Centroamérica, Francia, España, Italia, Bélgica, Marruecos y muchos otros países. Participa en la defensa de la República Española y vive en París hasta pocos meses antes de la ocupación nazi. De regreso a La Habana en 1940 se gana la vida como periodista, escritor radial y teatral, y recibe el Premio Internacional de Cuento «Hernández Catá» correspondiente a 1946. A partir de entonces publica diversos cuadernos de relatos y poemas y alcanza notoriedad internacional.

Recibió diversos premios: Mejor autor dramático del año (Asociación de la Crónica Radial e Impresa), 1943; Premio Internacional «Hernández Catá» con su cuento "Cosme y Damián", 1946, Distinción Por la cultura nacional, Orden Félix Varela, Premio Nacional de Literatura, 1985 y Premio de la Crítica por su libro *De sueños y memorias*, 1986

De la obra de Félix Pita Rodríguez (1909-1990) escribió el poeta y ensayista Regino Pedroso: «En su poesía, en sus cuentos, en sus crónicas ágiles, en sus poemáticas biografías, en toda la brillante producción de este gran artista de la pluma florece siempre la experiencia de su fecunda y aventurera vida. Así ha vivido y así ha soñado».

En su obra destacan los poemarios: *Corcel de fuego, Historia tan natural* y *Tarot de la poesía* y los libros de cuentos: *Tobías, La pipa de cerezo y otros cuentos, Aquiles Serdán 18*. En su cuaderno *Elogio de Marco Polo* hace un homenaje al ilustre viajero italiano con quien estaba tan identificado como hombre y como autor.

Conocedor de la cábala, Félix Pita Rodríguez nació en una combinación de cero, uno y dos nueves, la misma que marcó el año de su muerte. ¿Acaso debamos esperar al 2009 para su rescate definitivo de las bibliotecas? Entretanto, riéndose de su vida y de su obra (acaso de las nuestras), en algún lugar recóndito del éter o reencarnado ya en una hermosa criatura de fábula, aguarda el reconocimiento que merece este hombre múltiple que bien podríamos llamar el Marco Polo cubano.

En la orilla

María Elena Llana

–¿A dónde vas tan compuesta?

–A una fiesta.

–¿Con quién?

–Con unos amigos.

–¡Te pasas la vida en la calle!

El portazo.

Aprieta el puño acordonado de venas sobre el brazo del sillón y contrae los labios. Se vuelve hacia su hija que ha acudido presurosa al oír las voces.

–Marian está cada día más grosera.

La respuesta es un gesto pesaroso de aceptación.

–Siéntate que estas cosas hay que hablarlas, para ponerle remedio... si es que todavía lo tienen.

Va hacia el otro sillón, tímida, ofreciéndose en sacrificio, dispuesta a recibir la diatriba que Marian no oyó, resignada a ser el puente entre esas dos mujeres autoritarias con las cuales le tocó la vida.

–Este es el resultado de ser tan flojos con los hijos, de hablarles y oírles todo lo que se traen entre manos. ¡Por suerte en mis tiempos no era así!

Baja los ojos y vuelve a asentir sin despegar los labios.

Sí, mamá, yo sé que no era así.

–Óyeme bien, Emilia, con esta chiquilla hay que ponerse fuerte.

–Sí, mamá, tienes razón.

Se alisa el pelo dejando que la reprimenda fluya y tratando de encontrar los vados para esquivarla. Sí, Marian heredó el carácter duro de la abuela, no es como ella, apocada, sin nada que decir, incapaz de tirar una puerta.

–El control de un padre es muy necesario.

Emilia recuesta la cabeza al respaldo.

–Carreño se fue.

–Claro, si siempre te comportaste con él como una araña.

Siente la mirada de la madre y compone un semblante de tristeza abandonada.

–Y eso que se casó contigo pese a lo otro.

No, piensa Emilia aún recostada al respaldo, no se casó pese a *lo otro*, al sambenito que le colgaron los del pueblo porque no aceptó a ninguno, ni siquiera a Fernando Azuara, el más pisabonito, a quien le dio un zafonazo delante de todos cuando trató de tomarle una mano en la tómbola. Ni eso, ni que le tocara una mano pudo tolerar.

–Por suerte Carreño no hacía caso de esas habladurías. Era un señor.

No, mamá, Carreño era un perro viejo engolosinado con la carnita.

–Siempre fuiste arisca, el pobre Mateo no sabía qué hacer contigo.

Sí, mamá, tu hermano Mateo, mi tío Mateo, el pobre Mateo, sí sabía qué hacer conmigo cuando yo era niña y él y su mujer venían a visitarnos y se alojaban en mi habitación y yo tenía que ir a dormir en el cuartico del final del pasillo, del otro lado del baño, el que tenía la puerta sin cerrojo.

Inclina la cabeza hacia un lado y aquieta el mecido.

Las noches de la infancia son largas cuando el reloj da sus campanadas solitarias en algún lugar remoto de la casa y el cuento del ahorcado se corporiza y el hombre se suelta del árbol y camina sin ruido por el pasillo y llega al final y empuja la puerta y cuando vas a gritar te pone la mano en la boca.

–Shhhh. Quédate quietecita.

El tío Mateo se sentaba al borde de la cama a sobarse la entrepierna mientras yo me apretaba la almohada contra la cara para no verlo y él me decía: «Tápate los ojos, sólo los ojos» y se ocupaba de subirme el ropón hasta que comenzaba un jadeo endemoniado y su mano se crispaba sobre mi sexo como una tenaza babosa.

La primera vez se despidió con una recomendación que valió para las demás:

–Si dices algo, vendrá el ahorcado.

Y él siguió viniendo todas las noches.

Emilia mira hacia la pared donde cuelga la antigua vitrina de abanico, una caja de poco fondo con puerta de cristal que desde hace mucho tiempo guarda el escudo. Su Escudo. De pronto, se oye haciendo una pregunta que hace tiempo tiene pendiente.

–Mamá, ¿cómo se llamaba la barbería del abuelo?

–No cambies el tema.

Acepta. Se pone a darle vueltas a la idea y le parece que era algo así como *La Esperanza*, o *El Paraíso*, o *El Buen Viaje*. Algo así. Un nombre bonito, digno del abuelo con quien tantos ratos había pasado, sentados silenciosos en el quicio, tirándoles migajitas a las hormigas.

–El colmo fue la vez que llegaron Mateo y Regina y te negaste a besarlos. Se quedaron sorprendidos, sin poder explicárselo.

*Sí, mamá, sí se lo explicaban. Ella me miró de sosla-
yo, con un rencor de cucaracha pisoteada, y entonces com-
prendí que su sueño no era tan pesado cuando su marido se
levantaba por las noches. Él fue más preciso y, antes de irse,
me llevó aparte para decirme: Tienes que agradecerme que
nunca te hice daño.*

Da un leve impulso al sillón con el pie y no
puede evitar una sonrisa: *No, no me hizo daño, ninguno, solamente me dejó el terror a Fernando y a todos los
hombres, lo que después le dio ocasión a papá para decir que
había que acabar con aquellas murmuraciones.*

—Menos mal que tus rarezas no ahuyentaron a
Carreño, un hombre cabal.

Un viejo tabacoso.

—Tu padre lo valoró bien desde que lo conoció.

*Es que apareció en el pueblo como si le cayera del
cielo.*

—Sus consejos le sirvieron de mucho. Le reco-
mendaba que no se preocupara, que todo en esta vida
tiene arreglo porque al pobre Horacio le estaba
subiendo mucho la presión.

*Y las deudas. Aquellas partidas de tresillo que eran su
mayor entretenimiento lo estaban asfixiando.*

Emilia cierra los ojos para ver de nuevo el rostro
patético de su padre diciéndole que debía casarse,
que era una oportunidad única –¿para quién?– y el

de su madre, enfurecido: ¿No te das cuenta de que lo estás matando, al pobre, que todo lo hace por tu bien?

Sí, mamá, por mi bien.

—Hicieron una gran amistad.

Y mi matrimonio los unió más. Papá recuperó la salud y como Carreño no estaba propiamente asentado en el pueblo, nos cedió la casa de Costasola, esta misma casa tan grande, con el traspatio que termina justo al borde del mar, donde antes amarraban barquitos cuando todo esto era un despoblado.

Abre los ojos y los dirige al techo artesonado, los desliza después por las paredes encaladas, por los dos arcos de medio punto que separan la sala de la saleta. La madre aprovecha esa mirada para lanzar una nueva amonestación.

—Aunque no te gustara, siempre fue una buena casa.

Sí, mamá, una buena casa. Aquí vinimos a vivir mi esposo y yo, aquí nació Marian, aquí te mudaste tú cuando enviudaste. Y aquí estamos ahora las tres.

—Es que a tí nada te venía bien, siempre estabas seria, amargada, por eso no me extrañó que Carreño se fuera como se fue.

Y dirige la vista a lo lejos, a la plena anchura del mar.

Emilia trata de imitarla, pero su mirada tropieza con la línea de la costa y ahí se queda, enredada en los restos del muelle. Después vuelve a pasar los ojos por la vitrinita del abanico con el ingenuo escudo barberil compuesto por ella misma: un peine largo y una navaja cruzados uno sobre el otro. Lo único que trajo cuando vino a Costasola.

Sonríe.

Fue una suerte encontrar el peine de hueso para formar el escudo.

Sí, el peine lo encontró. La navaja la buscó afanosamente hasta exhumarla de una gaveta olvidada. Después se dedicó a sacarle filo en secreto. La estuvo asentando días y días desde que se anunció la nueva visita de Mateo y Regina, y su madre hizo limpiar el cuartico de atrás y ella, que ya era una señorita, pidió que le pusieran un pestillo en la puerta.

Fue aquella la visita que tanta inquietud causó cuando rechazó el saludo filial de los tíos. Después de las largas conversaciones y del arroz con pollo de la comida, ya en su cuarto, se estremeció sintiendo que el momento había llegado, desconcertada porque el inmenso temor traía agazapada una angustiosa promesa de placer. El corazón se le oprimió al sentir que llevaba años aguardando con ansiedad que Mateo apareciera en esa puerta. Y los pechitos que antes temblaban de miedo, ahora se le endurecían y encrespaban. Su mano se detuvo.

El pestillo quedó sin pasar.

¿Cuánto tiempo tardaría el ahorcado en arrastrar sus hinchados pies por el pasillo, cuántas medias horas resonarían bajo los altos puntales antes de que empujara la puerta? Apretó los labios cuando vio que la hoja se movía para dar paso a una sombra y sus ambivalencias se resolvieron en el vuelco visceral del terror. Aguantó la respiración hasta que lo tuvo cerca pero no pudo esperar a que se sentara, a que iniciara el ritual. Con un tirón de todo el cuerpo se incorporó y le mostró la mano con la navaja. Mateo retrocedió sin terminar de soltarse el pantalón, empeño que lo ocupaba mientras avanzaba hacia el lecho. No le apuntó al cuello sino hacia allí, hacia el capullo que empezaba a desperezarse y cayó de repente, fulminado, termómetro del pavor que paralizó al pobre tío. Cuando un día o dos después lo vio husmeando en las gavetas supo que estaba buscando la navaja y se sonrió para sí porque la hoja doblada sobre el mango había perdido el frío, se había entibiado adherida a su carne, debajo de las faldas. La visita terminó sin nuevos intentos y cuando ya se iban fue que la llamó aparte y le dijo aquello de que no le había hecho daño. Entonces ella compuso el escudo sui géneris, blasón de su callado triunfo, con las armas del único que vino en su auxilio, el viejito silencioso que algunas veces la sorprendía tirándole migajitas aunque ya no pudiera verlo. Y sus padres aceptaron esa nueva rareza porque, después de todo, era un homenaje al difunto.

–Fue lamentable que Marian no conociera a su padre.

Asiente una vez más.

Sí, mamá, de cierta forma lo conoció. El viejo Carreño carraspeando sus flemas, ahogándose en nicotina, se trepaba sin consideración al bulto de mi vientre, y yo creía oír el llanto de la criatura vapuleada y temía que el hálito fumoso se impregnara en mis pezones frustrando desde entonces el placer de amamantarla.

Sonríe recordando que una de aquellas noches le pareció que caía una migajita en su hombro para indicarle lo mismo que ya venía pensando, que era hora de terminar también con este ahorcado.

Se levantó y salió de la habitación.

–¿Dónde andas? –oyó gritar a Carreño mientras ella se paraba indecisa frente a la vitrina del abanico.

–¡Acaba de venir! –vociferó nuevamente, en un tono tan imperioso que sacudió su poquedad. Y, como siempre, obedeció.

Pero ya no podía bastar la amenaza, porque no se enfrentaba a un cazador furtivo, como Mateo, sino a un marido en plenitud de derechos, ejerciéndolos. Fue un tajo limpio, increiblemente certero, que se había venido perfeccionando desde los veranos de la infancia, cuando temía irse a dormir aunque se le cayeran los párpados de sueño.

Estuvo meciéndose en uno de estos sillones, mirando la puerta cerrada, con la llave apretada en el puño, hasta mucho después de que el silencio se tragara completamente el regurgitar y el arrastrarse, las toses y tropezones que se revolcaban dentro del cuarto. Cuando al fin entró, lo envolvió todo en la sábana y tiró del bulto que iba haciendo shiss-shiss-shiss sobre los mosaicos cuando atravesó el comedor y la cocina; cruc-cruc-cruc en la tierra salinosa del traspatio y, tras cruzar la verja trasera, un prurum-pún-prurumpún-prurumpún con una especie de baile de San Vito porque esa parte tenía terrones y piedras que hacían dar saltos al fardo y ya ella lo halaba a empujones, dejando escapar resoplidos. Bajo la luz de la tajadita de luna que atistaba en el cielo, lo ató a la piedra de amolar recostada allí cerca, otra de las pertenencias del abuelo que se habían quedado regadas en sus propiedades. Feliz-mente el tabaco tenía adelantado trabajo en los pul-mones del viejo y su cuerpo ya estaba frágil, como si lo sostuvieran huesos vaciados. Era curioso que aquel esqueleto de pájaro fuera el mismo que la aplastara tan cruelmente en la cama.

La piedra redonda se deslizó sin mayor dificultad y el agua la absorbió con un solo blum asombrosamente apacible.

De regreso a la casa, se dejó caer en el primer sillón que encontró y se puso ambas manos sobre el vientre para aquietar a Marian que había comenzado a dar volteretas.

—Tranquila, tranquila —murmuraba acariciando la montañita movediza.

—Vamos a ver cuándo vuelve.

Se sobresalta: ¿Quién?

—Marian, ¿quién va a ser?

Suelta la risita. Por un fugaz instante le pareció ver en la puerta al viejo Carreño empapado en agua y con un pececito muerto en la mano. La madre la fulmina:

—¿Qué te traes, en qué estás pensando?

—En nada, en nada.

Emilia detiene el vaivén del sillón, los balances se quedan en el fiel y ella se levanta y va hacia la ventana, desde donde antes se veían los barcos amarrados a los muellecitos de Costasola.

—Carreño te dio tu merecido cuando se fue del país.

Le parece ver alejándose sobre el mar oscuro una de aquellas lanchas tripuladas por sombras temblorosas que partían a remo, con los motores apagados. Después se aparta de los barrotes para ir hacia la cocina, a prepararle un emparedado a Marian por si regresa con hambre. La mirada la sigue, va tras ella insistiendo en su tenaz malquerencia:

—Eso fue lo que te ganaste, que Carreño se fuera sin decirte una palabra.

Emilia, que ya toma la cesta del pan, de la cual saltan unas cuantas migajitas, sonríe pensando qué cara pondría su madre si le dijera que es injusta con el pobre Carreño, un hombre cabal, que nunca la abandonó, ni a ella ni a su hija, que en realidad siempre ha estado cerca de ambas, ahí mismo, en la orilla.

Pero tímida como es, no dice nada.

María Elena Llana (Las Villas, 1936). Es una de las mejores cuentistas de Cuba, a pesar de haber publicado con relativa escasez. Entre sus principales libros de cuentos están: *La reja, Casas del Vedado* (Premio de la Crítica), *Castillo de naipes* y *Apenas murmullos*. De esta autora hemos publicado cuentos en los libros de la colección **Letra Grande** *Cuentos cubanos* y *Cuentos impunes*.

Un cuento de humo

Ernesto Pérez Chang

Fumarse un habano, mejor dos, tres, una rueda completa. Encender el próximo con aquel a punto de apagarse. Pasar días y días –esas jornadas en que nada hacemos, en que poco podemos hacer– inhalando el humo de una legión de habanos. Esa podría ser una manera de alcanzar el nirvana, colocarse en resonancia con todo aquello que se espera de un habanero que se aburre y comienza a pensar en fumárselo todo, desde las hojas secas de los árboles hasta su propio cuerpo. Comenzar con los dedos de las manos, las propias, las ajenas, primero las ajenas, todas, hasta alcanzar la transformación en un ser humano en extinción fumándose su propio ser en medio de la Nada. En medio de una ciudad de humo, con personas de humo orgullosas del habano.

Con un habano en la mano, con saludos de *bon jour* y con elásticas reverencias. "Es un imbécil. Un imbécil que fuma", acuñó con un puñetazo en la mesa, con un estruendo que casi paraliza las digestiones de todos los que desayunábamos en la casa. Y es que, al parecer, la culpa de todo el escándalo la tenía la madre que no supo horrorizarse con elegancia cuando adivinó "por el tabaco, por las ropas de ayer y por unas ojeras que te hacen muy mal a tus dieciocho" que Paul había pasado muy mala noche, "es decir, una noche muy extraña ¿En compañía de quién?, dime", y yo vi al padre ponerse verde y con espuma (y humo) en la boca gritarle todo aquello que salió junto con el pan masticado y el café con leche aguada tan sólo porque Polito, al abrir la puerta, había humeado un *"bon jour"* con ciertas reverencias que se debían más al sueño y al cansancio que a la pose para con aquellos que estaban sentados a la mesa, pero Paul ya estaba acostumbrado a que el padre entrara en erupción de vez en cuando y "con la misma letanía" y por eso no hizo caso a la metralla verbolíquida disparada contra su cigarro y se tiró a humear casi dormido en el sofá pero antes de cerrar los ojos advirtió a su madre que no se preocupara por él ya que pronto se iría del pueblo porque había pensado irse, irse del país, así... Y la madre, que aún no había concluido los comentarios sobre la antiestética del tabaco en conjunto con los párpados caídos y la piel grasienta consecuencia de los poros demasiado abiertos por el calor del trópico y sobre lo necesario que era para Paul unos fomentitos, desafinó en llantos y lamentos e intentó palear la culpa de todo sobre aquel padre dragón que les había "aguado" el desayuno más de lo que estaba al echar al piso lo que había sobre el mantel porque él, de una trompada (él dijo "leñazo") se encargaría de enderezar al imbécil que se anunciaba como la futura desvergüenza de la familia por aquello de andar trotando junto a unos mariconzuelos pervertidos de los mil demonios que... "Tu verás", y alguien, tal vez un hermano, tuvo que intentar quitárselo de encima a Paul que en principio sólo se cubría la cara con los brazos (para proteger el tabaco) mientras que el dragón paternal golpeaba y maldecía "Maricón" entre pedazos de pan y escupitajos de café con leche ya más que aguada. El humo del tabaco oscureció la escena matutina. Padre rabioso fue a incrustarse contra la mesa por una encentradísima patada que terminó por extraerle todo el desayuno y hasta un trozo de diente cariado: "¡Asesino, maricón asesino... ahora mismo te vas de mi casa!", dijo el padre entronizado en la comodidad de un traidor pan con mantequilla que le servía de cojín mientras chapoteaba en medio de un lago de café con leche y una atmósfera del mejor habano: "¡Ahora mismo te vas de mi casa, maricón!". La madre no hizo otra cosa que continuar su refinado lagrimeo pero ahora con la cara entre las manos (porque ciertamente ella tenía un sentido muy aguzado de la estética). Un conocido, por estética, se le acercó para consolarla, mientras que Polito se levantó del sofá, muy antiestético, le dio una fumada al tabaco, un puntapié ¡Gooool! a un pan que fue a caer justo donde el dragón paternal licuaba los fuegos; se acomodó la camisa, hizo una reverencia, dijo *"bon jour"* (telón, amigos, telón y luces) y se marchó.

Mientras se alejaba, Polito miró hacia atrás varias veces para ver si la madre se había asomado a la ventana o a la puerta. Quiso pensar que la madre, mareada por el humo del tabaco, había preferido no salir. Polito se apresuró, le quedaban pocos días en aquel poblacho. Sonrió, exhaló el humo final y la luz del sol de las primeras horas produjo destellos rojizos en su camisa de seda.

Ernesto Pérez Chang (La Habana, 1971). Es narrador, traductor, editor del Fondo Editorial Casa de las Américas y miembro de la UNEAC.

Tiene publicados los libros de relatos: *Últimas fotos de mamá desnuda, Historias de seda* y *Los fantasmas de Sade,* que incluye el cuento del mismo nombre, ganador del Premio Iberoamericano de Cuento Julio Cortázar. También ha publicado la novela *Tus ojos frente a la nada están.*

Como el humo

Diana Fernández

Sus ojos van y vienen, como va y viene la mano, blanca, de un blanco níveo, nada cubano; siguen las ondulaciones de los dedos cortos, regordetes, afilados en las puntas y salpicados de vellos negros; reposan en la alianza de matrimonio en el anular izquierdo; comparan la sobriedad del aro con el brillo de un anillo de graduado, el de las mil veces repetidas historias, que apresa el dedo meñique –el graduado-fumador no renuncia a él a pesar de que en los últimos veinte años sus dedos han engordado tanto como su cuerpo– y con la majestuosidad del ónix engarzado en oro que luce el anular derecho; se refocilan en el vuelo impreciso del humo escapado del tabaco, apenas sostenido, como en una caricia, entre el índice y el pulgar. El vuelo del humo y el ondeo de las manos la hacen sentir mareada. Se levanta suave del butacón, sin hacer notar siquiera que se mueve, tan sinuosa y sutil como el humo de todos los cigarros allí reunidos, tan pausada como las palabras casi susurradas del marido, tan bajo el volumen de sus ruidos como la música de Mike Olfield –a El Fumador le encanta Mike Olfield sólo porque siendo inglés vive en Ibiza– que sale de algún misterioso e invisible lugar de la pared. Se alisa la falda corta, pero discreta; aspira profundo el vaho vueltabajero, mezclado a los aromas de frutas y sazones escapados de la cocina –habrá que hacer revisar el extractor de olores–. Antes de salir echa una mirada al salón donde fuman importantes funcionarios y gerentes los cigarros sin anillo, hechos por encargo especial para su marido. Todos escuchan y asienten con sus cigarros entre los dedos, de preferencia entre los labios, entre las dudas de neófitos que esconden su ignorancia en el silencio. Él habla, habla interminablemente en un susurro adormecedor, en ocasiones inquietante. Estos habanos son de lo mejor, murmura el marido entre zetas y ces y eses muy sonadas. Su marido –El Fumador–, barcelonés de rancios orígenes, no admite los tonos altos en nada. La ropa, la música, la decoración, las comidas, las conversaciones, todo ha de ser muy sobrio para que sea equilibrado y de buen gusto. Ella enmendaría: gris.

En el corredor vuelve a sentir mareos por el humo serpenteado que se cuela en todas las habitaciones. En busca de aire limpio escapa furtiva a la terraza y cierra muy en silencio la puerta corredera tras de sí. A través de las vidrieras le llegan voces vivas que animan el discurso susurrante del marido. Después de almuerzos como este, él se declara literalmente agotado por el caudal vertiginoso y el tono alto en la conversación de alguna gente.

Ella respira profundo, se traga de un golpe el aire oloroso a tierra y vegetación mojados. El sol comienza a enseñar rayos indecisos y pronto un calor húmedo y pegajoso sustituirá el fresco dejado por casi dos horas de lluvia cerrada. Abajo, la piscina platea en medio del jardín. Se cambiaría de ropa y nadaría un rato, si no fuera porque su marido se escandalizaría.

Por la apretada unión de las puertas se escapan, hasta la terraza, el entrechocar de copitas servidas de coñac y el humo de los descomunales tabacos traídos de Pinar del Río. El aroma es inconfundible. La mujer ha adquirido conocimientos particulares sobre el tabaco, la selección de las hojas, el tiempo de secado. Ha aprendido de venas, color, humidores, marcas, vitolas, en fin, es ya toda una especialista, según palabras del marido. Si su abuela la oyera disertar en las raras ocasiones en que él se lo permite, quedaría pasmada de lo que ha aprendido. Su abuela, cultivadora de pura cepa, nunca había logrado que esta niña rebelde se acercara a una mata de tabaco. Recuerda con nostalgia a la vieja que fumaba tabaco enrollado sentada en su sillón, en el portal de cemento pulido. A ella le sobran las ganas para fumarse uno de aquellos que duermen dentro de los humidores en el salón de estar –que más bien debería ser salón de fumar–, pero le sobran también las razones para no hacerlo. Si enciendes algún día un puro nos divorciamos. Dalo por hecho. El Fumador no soporta el olor de tabaco en las mujeres. Es lo más desagradable de la vida. Repugna entre los aromas de un fino perfume francés, niña. Pero El Fumador no es tan especial como parece. Es un tipo contradictorio en muchas cosas. Puede ser un tarado –y eso no lo sabe nadie más que ella– que en el orgasmo la zarandea hasta la violencia y lanza como un loco todo cuanto encuentra a su alrededor; que la penetra hasta el cansancio con majestuosos cigarros que luego, pasada la pasión, rompe en su cara y tira a la basura, entre furioso, asqueado y arrepentido y otras tantas cosas. A ella le da lo mismo. Pero a veces siente que está mal. Todo está mal desde que se casaran hace cinco años. Su vida gris-total, su carrera a un lado; los niños solo en sueños; su familia de mes en mes; sus amigos y amigas nunca, todos por teléfono, o cuando el marido-fumador organiza un almuerzo, donde su omnipresencia dadora de cigarros, no deja espacio a la intimidad que ella necesita con su gente de toda la vida. A veces le dan ganas de sentarse frente a él, acercarse a la mesa –todo muy pausado–, abrir la tapa del humidor más cercano, escoger sin prisa un cigarro, pedirle fuego al vecino de asiento, cruzar las piernas, inhalar una inmensa bocanada y exhalarla después en el rostro del marido, hasta formar una nube que lo desaparezca para siempre.

Un toque sordo en el cristal la saca de sus meditaciones. Con una sonrisa todavía en la boca se vuelve. El puño de nudillos brillosos del camarero se convierte en mano abierta y le hace señas de que regrese al salón de estar-fumar. Está claro: El Fumador la quiere allí. Su entrada al salón es recibida con una conocida expresión tras los espejuelos. ¿Por qué has demorado tanto, Cristina? Es de mal gusto, Cristina. No aprendes, Cristina. Y tantas más cosas que querría decir y que no dice El Fumador por sus exquisitos modales. Los invitados se vuelven con grata y fingida sorpresa: ¡cuánto extrañaban su presencia de bella-dama-acompañante-pasiva fumadora, en su vestido de adecuado escote! En realidad alguno que otro preferiría estar en el lugar de El Fumador-amante, pero disimula sus ganas, por las buenas maneras y el sentido común.

Ella sonríe a todos, hace algún comentario sobre el sol que comienza a levantarse afuera y el calor... Es interrumpida por el susurro del marido que ignora; el susurro inclemente que le prohíbe fumar un tabaco; el susurro que le impide viajar a cualquier lugar del mundo; que le exige el sexo; que la destierra y la confina en su propio país a este lujoso museo del tabaco. De viajes: nada. El Fumador teme. Conoce de algunos que han llegado allá con sus mujeres para ser abandonados al poco tiempo. A él nadie le manchará su honra –tan rancia honra que apesta–, ni la de su familia.

Pero sonríe, sonríe, a pesar de todo, el marido-humeante como un pollo a las brasas, para que ella le responda con otra sonrisa mientras toma un sorbito de Fra Angelico que ha traído el camarero en una diminuta copa, y entierre por unos segundos la grisura de su vida. Entonces, todos sonríen a la armoniosa pareja-equilibrio. El fumador-anfitrión retoma el hilo después de una aprobadora mirada a la esposa-oyente. Sus manos recomienzan el vuelo interminable, sostienen la copa con coñac, suben y bajan el cigarro como quien dirige una orquesta, hacen una seña al siempre atento camarero para que rellene las copas de sus invitados. Cuando dice que su mujer no fuma y que ninguna mujer debería tener tan insoportable hábito que además malogra la belleza –la belleza de invernadero de la esposa-fumadora-pasiva– y la maternidad –¿cuál maternidad?–, unos invitados se incomodan porque este gallego siempre quiere meter el pie con sus criterios, y otros sopesan la validez de la afirmación y hasta piensan aplicarla a sus mujeres y amantes fumadoras, pero asienten y vuelven a asentir y estarían asintiendo hasta mañana entre puros y coñac.

Ella, la mujer-flor, no soporta a veces esas reuniones, ni esa casa refrigerada, ni esa piscina con *jacuzzi* en la que se baña casi a escondidas, ni esos vestidos perfectos, ni esa esterilidad infinita, ni ese marido. Preferiría insolarse en la playa; asarse en la calurosa habitación en casa de su madre, donde un ruidoso ventilador espanta los mosquitos; quizás volver con su antiguo novio; parir algún día; trabajar y fumar, fumar ella sola todos los cigarros del mundo. Observa por encima de su copita, a través de una densa gota de Fra Angelico, que se regodea en el borde antes de caer, al gerente-vecino de las miradas soslayadas; luego al gordo sudoroso de enfrente, en su distinguida camisa de mangas largas; al pavo real junto al marido, que de continuo manosea su flamante reloj; al marido mismo, a todos: viscosos, hipócritas, invisibles dentro del salón lleno de humo. Se remueve en el asiento intranquila y quisiera abandonar toda esta mierda. El aire le falta. Hace señas al camarero para que le sirva otro Fra Angelico. El camarero consulta en silencio antes de servir y escancia el licor en la copa bajo la mirada atenta de El Fumador. Ella bebe de un tirón el trago. El Fumador carraspea –un carraspeo casi imperceptible para quienes no lo conozcan–. Ella lo ignora, entrega la copita vacía al camarero –que ya comienza a alarmarse–, cruza las piernas, se inclina hacia el humidor más cercano sobre la magnífica mesa de centro, toma un bello habano y hace señas al gerente lujurioso para que le de fuego, inhala una gran bocanada de humo que la hace toser ligeramente, y la exhala con fuerza al rostro espantado del marido.

Diana Fernández Fernández (La Habana, 1956). Licenciada en Lengua Rusa en 1990 por el Instituto Superior de Lenguas Extranjeras Pablo Lafargue. Es profesora y traductora de ruso, editora, narradora y miembro de la UNEAC. Su obra ha sido publicada en numerosas revistas cubanas y extranjeras y algunos de sus libros han sido publicados en Brasil y México. Es coautora de la antología de autores cubanos *La isla novelada* y sus cuentos aparecen en las antologías del Concurso Fernando González, 1996 y de 1997 (Cuba-Colombia).

Entre sus libros destacamos: *El ojo de la noche, La paz no necesita de palomas, Las musas inquietantes, Escritos con guitarra, Cuenfos infieles, Clemencia bajo el sol, Té con limón, Las que nos quedamos, Todas las mujeres de Dios* y *Campañía urbana en la noche*.

Minicuentos

Alberto Menéndez Enríquez

¿Tienes para encender?, le pregunta Batman a la Estatua de la Libertad, con un grueso tabaco en su mano multipropósito. *No*, responde la estatua. *Mentirosa*, le replica Batman y le apaga la antorcha, batiendo su capa en el aire neoyorquino. Entonces comprende que ya no podrá fumarse su habano. Intenta una disculpa y en realidad la pone en práctica, pero la estatua permanece a oscuras. *Hasta la libertad es susceptible* –pensó–, *hay que abandonar los vicios*. Y se alejó en la misma ráfaga por donde había llegado.

La definitiva

Me he fumado más de tres mil cajetillas de cigarros; creo que esta es la definitiva. Las cenizas ahora marcan los contrastes de mi lividez.

Hipótesis

Encendí el último tabaco con la torpe esperanza de quemar las sombras; al final descubro que las sombras también fuman.

Alberto Menéndez Enríquez (Ciudad de La Habana, 1960). Médico, narrador y poeta.

Ha obtenido varios premios y menciones en concursos literarios, entre ellos se destacan: Mención en el Concurso de Cuento Ernest Hemingway, Primer Premio en el Concurso Manuel Cofiño, en la categoría de Poesía Infantil, así como primera mención en cuento y poesía para adultos, Premio que otorga el Instituto del Libro en el concurso La Media Cuartilla, así como mención en dicho concurso; Primer Premio en el concurso Modesto San Gil. Poeta Vivo, 2007; Primer Premio en el Miniatura 2005. Miembro del Taller Literario Silvestre de Balboa, de la Asociación Canaria de Cuba Leonor Pérez Cabrera.

Tiene publicado el volumen de cuentos *La casa de los Fernández*.

Doble deleite

Elizeth Godínez

No es el acaloramiento, y mucho menos el nerviosismo, que me llevan a detener en él la mirada;
más bien, es el gesto involuntario de extender la
mano para tocarlo. Compruebo con sorpresa, mientras los dedos se desplazan como queriendo buscar
una caricia, que más allá de prestar atención a los
detalles, en todos estos años me he entregado a él,
cual araña degustando su presa. Por eso ordeno a mis
dedos palparlo centímetro a centímetro, impregnarse
de su aroma en esta intimidad redescubierta.

En la proximidad tomo distancia: busco su
omnipresencia en cada movimiento. Si bien es cierto
que redunda el deleite, también he renunciado a otros
placeres por estar atada a su costumbre. Es como si él
supiera cuánto duele renunciar a su tibieza cuando
penetra cuerpo adentro, sentir entre los dedos su delicada piel. Y regreso, siempre regreso, aunque me pro-
ponga abandonarlo. Diez años es demasiado tiempo

en este ir y venir, en el que sólo he logrado ensañar su tiranía, acortar los encuentros. Mi cuerpo ha comenzado a sufrir estragos.

Ahora, al mirarlo, me pregunto cómo pude prendarme de él, tan insignificante y pequeño, con ese porte tan poco atractivo. Estoy perdida, irremediablemente perdida, si no cambio las reglas del juego, donde ha sido hasta hoy el dueño de la partida. Se desquita de lo que fue en un principio un explorar y descubrir, un juego tonto, un intercambio de sensaciones. Me lleva el aire.

No sé si será tarde para reencontrarnos en este diabólico retozo en el cual mi estrategia debe ser diferente: no habrá resistencia. Voy a entregarle las manos. Consciente he de acariciarle. Ofreceré llena de gozo la boca para chuparlo y jugar con su tibieza. Repetiré despacio la caricia sin precipitación una y otra vez. Despacio, cada vez más despacio, hasta agotarlo. Verlo consumirse. Y sólo entonces, deliberadamente lo escacharé[1] contra el cenicero.

María Elizeth Godínez Barbarú (Ciudad de La Habana, 1957). Graduada de la Escuela de Instructores de Arte en la Especialidad de Literatura, es también editora. Aparece incluida en la antología *Té con limón* y su noveleta *El libro de los por qués*, fue premio Luis Rogelio Nogueras 2007 en el género de literatura para niños y se encuentra en proceso de edición.

1. *Escachar:* aplastar.

La prueba

Nancy Alonso

Berta llegó al Hospital de Emergencias de Centro Habana antes de las ocho de la mañana, aunque estaba citada para las nueve. Su estado de nervios le impedía quedarse en la casa y prefirió estar cerca del lugar donde le harían aquel examen, el mismo del año anterior cuando le diagnosticaron la enfermedad. Se sentía ansiosa no sólo por el trasteo al que someterían su cuerpo, sino por conocer el resultado de la prueba.

Dos meses antes, Berta empezó a fumar, lo que nunca había hecho, ni siquiera cuando era adolescente y quería adornarse con atributos de la adultez. Al inicio le provocaba nauseas desde la primera bocanada, pero ya a la semana una caja de cigarros se esfumaba entre sus manos en menos de veinticuatro horas, como si hubiese sido una fumadora empedernida de toda la vida. Necesitaba mucho aspirar el

humo. Y el café, un buchito de café antes de cada cigarro.

Mientras esperaba su turno, salió varias veces a
la calle para fumar. Si la prueba salía bien, no volvería a hacerlo hasta dentro de diez meses y se aproxi-
mara el momento de repetirle el estudio.

Al entrar en el laboratorio, unas manos hábiles la
ayudaron a tragarse aquella manguera que examina-
ría el estado de las paredes de su estómago. Escuchó
cómo los médicos evaluaban las observaciones y, lo
más importante, la conclusión: su úlcera gástrica no
había cicatrizado.

Berta se despidió tratando de ocultar su euforia.
La prueba con el cigarro y el café había surtido el efecto deseado. Ahí estaba la úlcera, viva, latente, garan-
tizándole otro año de certificado médico para que le
dieran la dieta alimentaria por la libreta de abasteci-
miento, otro año de desayunos con leche. Problema
solucionado.

Guardó el preciado papel con el resultado posi-
tivo en el interior de la cartera, y vio la cajetilla que
había escondido de la mirada de los médicos. Se la

regalaría a algún vicioso porque a ella, definitivamente, no le gustaba fumar.

Nancy Alonso (La Habana, 1949). Graduada en Ciencias Biológicas por la Universidad de La Habana. Fue profesora e investigadora en el Instituto Superior de Ciencias Médicas de La Habana durante más de veinte años. Trabajó como cooperante intennacionalista en Etiopía en el Jimma Institute of Health Sciences (1989-1991).

Ha publicado los libros de cuentos *Tirar la primera piedra*, *Cerrado por reparación* (Premio de Narrativa Femenina Alba de Cespedes). Este libro fue publicado en Estados Unidos (*Closed for Repairs*, Curbstone Press). Sus narraciones han sido recogidas en antologías en Estados Unidos, Brasil, España y Reino Unido: *Estatuas de sal*, *Rumba senza palme né caresse*, *Cubana*, *Habaneras Making a Scene*, *Open your Eyes and Soar* y *Mi sagrada familia*.

Fioretto[1]

Mylene Fernández Pintado

Luis Mario no salió dando un portazo. Cerró la puerta levemente y sin ruido. No me desafió, sólo se fue.

No dejó nada. Salvo una caja de cigarros sobre la mesita de la sala, junto a un vaso de fondo grueso sin una gota de whisky. El de la botella que compré para bautizar la última reconciliación.

Así que, en vez de recoger sus cosas y tirárselas por el balcón para disfrute de las viejas chismosas, los niños curiosos y los intelectuales escépticos que componen eso que llamo "mis vecinos", me senté en la misma butaca que ocupó hasta pocos minutos antes, miré el vaso vacío y rompí la caja de *Populares*.

El útimo cigarrillo aún estaba allí, era un sobre-viviente, alguien escondido en las recónditas oscuridades para no enterarse de nada.

1. *Fioretto:* en italiano, oración corta y fervorosa.

–Quedas condenado a la hoguera por cómplice –le anuncié antes de encenderlo.

Como fumadora, yo había pertenecido a la clase de los "ocasionales", esos para quienes los cigarrillos son siempre una oportunidad de hacer algo con las manos, de acompañar el café o los tragos, de adoptar poses en determinados momentos. Una *snob* del tabaquismo. Hasta que llegó Luis Mario.

Luis Mario fuma muchísimo. Siempre cigarrillos sin filtros, en cajas que adoptan la forma del bolsillo trasero de los pantalones, la curva de las nalgas asentadas en el sillín de su bicicleta.

Empecé a amar esos cigarros que dejaban los labios llenos de picadura. Su sabor fuerte, y ese olor que penetraba todo y vencía sin esfuerzo aromatizantes y etanoles, se volvieron afrodisíacos desde el momento en que compartir un cigarrillo se convirtió en el epílogo de cada capítulo amatorio.

Y como nos amábamos mucho y muy seguido, los cigarrillos degustados a dúo aumentaban geométricamente. Y ya no era sólo la caja curvada de Luis Mario sino la mía, siempre estirada dentro de mi bolsa y, cada vez que podía permitírmelo, con filtros.

Las espirales de humo nos envolvían como un aura, como niebla de la irrealidad, vapores del paraíso o *cumulus nimbus*. Como espejismos o deseos realizados, como sueños de los que no queremos despertar. Así me volví una fumadora contumaz.

Fumaba cuando hacía el café para Luis Mario, añadiendo un poco de ron al suyo y de leche al mío. Cuando preparaba sus tragos, siempre sin hielo, sin cola, sin nada e inventaba otros para mí, que él bautizaba como mejunjes o brebajes.

Fumaba cada vez que discutíamos y me temblaban tanto las manos que apenas podía sostener los cigarros entre los dedos. Cuando sus argumentos me dejaban sin palabras y fumar me proporcionaba el tiempo para defenderme o acusarlo. Cuando me citaba con mis amigas para contarles que creía que esta vez iba en serio, que no era como las otras, que lo nuestro se acababa sin remedio.

Fumaba cuando nos reconciliábamos y bebíamos y hacíamos epílogos de capítulos amatorios que eran el prólogo del capítulo siguiente, como cuando los domingos deciden pasar todos los episodios de la semana de la telenovela de turno. Fumaba para compartir con mis amigas la felicidad de los retornos y jurarles que no habría más separaciones ni peleas.

La última vez que hicimos las paces no fue corriendo a su casa a buscar sus pertenencias, su hatillo de vagabundo que camina por la línea del tren. La verdad es que no salimos de la habitación en todo el fin de semana. El lunes no fuimos a trabajar y después él comenzó jornadas frenéticas en la oficina que lo hacían llegar muy tarde.

Me aburrí de lavar la misma camisa todos los días y le dije que le comunicara a "la otra", la que custodiaba el resto de su equipaje y lo retenía hasta tan entrada la noche, que me mandara alguna ropa limpia. Lo cierto es que era un chiste de mal gusto, una provocación de mi parte. Recibí a cambio una confesión de bigamia, de adulterio sin culpa ni arrepentimiento. Yo grité, lloré, fumé, lo ofendí. Él fumó, habló, sonrió y se fue sin dar un portazo.

Fumé el cigarro rehén hasta que nos quemamos los dos a la vez. Y me quedé con los labios ardiendo y llenos de cenizas. Boté la cajetilla por el balcón para que la vieran los vecinos que de todas formas ya habrían escuchado lo suficiente y comencé a llorar.

Porque esta vez sí que era en serio y porque no quería dormir sola y por lo bien que estábamos cuando estábamos bien. Porque a veces había pensado que hasta podríamos casarnos y tener niños, aunque para esto, tendríamos primero que dejar de fumar. Y entonces se me ocurrió.

–Dejaré de fumar. Haré el mayor sacrificio de mi vida. Será doble porque ya vivir sin Luis Mario y sus cinco sentidos me parece estoico. Limpiaré mis pulmones, mi aliento, mis dientes y manos, los bolsillos, las gavetas, mis bolsas, esconderé los ceniceros y colocaré cada suma anteriormente destinada a cigarros en una hucha para el primer oso de peluche del futuro bebé.

No fui capaz de renunciar a las dos cosas a la vez. Cuando cada mañana me encontraba en el centro de la cama, con una almohada de más y oliendo a noche sin sexo, expiaba los pecados no cometidos sustituyéndolos por grandes bocanadas de humo que me ayudaban a empezar el día viéndo todo medio borroso. Entonces decidí cambiar de táctica.

No fue fácil dar ese paso. Respeto mucho las promesas, pero esta valía la pena. Y como quería un testigo de mi sacrificio llamé a mi mejor amiga, la que más cigarrillos me había visto fumar desde que Luis Mario llegó a mi vida, para que me acompañara a la iglesia de San Antonio de Padua, y una vez allí me arrodillé y oré fervorosamente, transida de dolor y firmemente dispuesta a todo.

–Devuélvemelo por favor. Hazlo entrar en mi casa, tocar a la puerta, no le preguntaré nada. No recordaré que me pegó los tarros. Quiero que todo sea como cuando todo es bueno. Si me lo concedes dejaré de fumar. Cuando Luis Mario me dé el primer beso, como en los cuentos de hadas, los cigarros dejarán de existir para mí. Ya verás.

Saliendo de la iglesia, nos detuvimos en la primera gasolinera y me dije que como estaba tan deprimida bien podía permitirme un paquete de Dunhill.

Como la depresión no disminuía decidí que, para no llamar a Luis Mario, para no ir a esperarlo a la oficina, para resistir la tentación de telefonear a sus amigos y pedir datos sobre la otra. Para frenar los impulsos de decir frases que luego pudieran ser usadas en mi contra, necesitaba incentivos, mimos, cosas buenas. Y me dediqué a explorar el mundo hasta entonces desconocido de los cigarrillos de importación.

En mi frenética degustación estaba escondida la seguridad de que sería pasajera, que era solo hasta que él regresara. Esperaba sobre todo que el dinero destinado a estos escandalosos gastos durara hasta que Luis Mario abriera la puerta de la casa: con toda intención no había cambiado la cerradura, quería que se sintiera bienvenido y seguro de que nada había cambiado.

Pero a veces la certeza del regreso se tambaleaba, como un equilibrista ebrio y entonces fumaba por los días futuros, esos en los que no tendría la obligación moral de dejar de fumar ni el dinero para continuar haciéndolo. Ni siquiera tendría dinero para otras cosas más perentorias, si bien los cigarrillos habían sustituido muchas de mis necesidades.

Deseché los mentolados luego de una laringitis que me tuvo en cama fumando a escondidas del médico. Me hice amiga de los niños coleccionistas de cajetillas, que me saludaban preguntándome qué estaba fumando ese día. Maté el asco del humo del cigarro anterior con el encendido inmediatamente después y descubrí que fumar era compatible con casi todas las demás cosas de la vida.

Luis Mario regresó tocando a la puerta. Como si fuera el cobrador de la luz o los fumigadores contra los mosquitos. Me quitó el Lucky Strike de los labios y me besó. Se quedó fumándolo, sentado en la butaca de la sala mientras yo recorría el resto de la casa colocando todas sus cosas en gavetas, armarios, libreros, mesas y las más viejas e inservibles, en cajas. La mudada era total.

—Y definitiva —acuñó mientras se quitaba la ropa para comenzar a hacer los niños que yo había soñado mientras lloraba su partida.

Cuando terminamos, la habitación estaba totalmente a oscuras. Era de noche y no había electricidad.

Entre las tinieblas, Luis Mario encontró su cajetilla y la fosforera y quedamos alumbrados por el círculo rojo del cigarrillo apenas encendido. Me besó, me pasó la mano por el pelo y me dió el cigarro después de la primera chupada.

Cuando aspiré la primera bocanada de humo, esa que sucedió al beso fervientemente pedido, a tantas horas de sexo, al regreso añorado, a la reconciliación rogada, a los rezos, las promesas y las plegarias, lo que me impulsó no fue el olvido de todo esto, como olvidamos siempre lo prometido cuando alcanzamos la meta, sino una especie de arreglo unipersonal con San Antonio, una suerte de tregua.

–Este cigarrillo –expliqué a mi deudor– es la primera cosa que Luis Mario me ofrece después de hacer el amor. Supone todo lo que quiere compartir conmigo, desde ahora hasta el final del futuro. Sabes que si lo rechazo en un momento tan delicado, lo tomará como un desprecio, una negación a recuperar lo mejor de nuestras vidas, los momentos de complicidad. Y sé que entenderás que para dejar de fumar habrá siempre tiempo. De todas formas, eso de los niños no lo dije muy en serio.

Y devolví a Luis Mario el cigarrillo y lo saboreamos hasta que la habitación volvió a quedar en penumbras. Significaba lo mejor de nuestro pasado y lo unía sin fisuras a las más optimistas promesas de un porvenir feliz y jubiloso.

Mylene Fernández Pintado (La Habana, 1963). Licenciada en Derecho por la Universidad de La Habana. Narradora. Trabajó en el Instituto Cubano de Arte e Industria Cinematográficos (ICAIC). Fue Mención del Premio de Cuento *La Gaceta de Cuba* y otros concursos internacionales. En 1998 obtuvo el Premio David de Cuento por su libro *Anhedonia* y en el 2002 y 2003 el Premio Italo Calvino y el Premio de la Crítica por su novela *Otras plegarias atendidas,* publicada también por la editorial Marco Tropea, en Italia. Relatos suyos han sido anto-logados y traducidos en diferentes partes del mundo.

Aparece en la antología *Voces cubanas*, publicada por Editorial Popular.

Río de agua mansa

Ángel Santiesteban

La luna apenas se refleja sobre la sucia agua del río. Manolo y sus hermanos, metidos hasta el cuello, esperan agazapados tras la hierba de la ribera, para no ser descubiertos por los policías que disparan a mansalva. Manolo teme por su vida, pero sobre todo por la de sus acompañantes. Aunque son mayores de edad, se siente responsable de ellos.

Introduce las manos debajo del agua y se aprieta la venda que cubre la herida de la rodilla. Varias noches atrás, un hierro filoso clavado en el fondo del río lo rozó; al principio, quizás por el frío, la tensión o el miedo, no sintió dolor, luego, al salir del agua, se palpó y descubrió la sangre.

Unirse al grupo de los ninjas, como los apodaba la policía, le había costado varios meses de profundos razonamientos. Antes, agotó las variantes para mantener a la familia: ninguna fructificó. Quedó la peor y la única, donde corre el riesgo de perder su vida; de todas formas se había pasado dos años jugando con esa posibilidad allá en Angola, llegó el momento en que de ver tanta muerte a su alrededor, hacía insólito permanecer vivo. Aún no es capaz de explicar cómo pudo regresar con vida.

A la llegada a la isla, le impusieron las medallas de los héroes, que con el tiempo fue olvidando lustrar y exhibir a los que lo visitaban. Por último las escondió en una caja de zapatos debajo de la cama de las niñas.

Ha pasado una semana desde que se hizo la herida. La infección gana espacio hasta hacerle perder el color natural de la pierna. Y todo porque no ha podido dejar de entrar cada noche al río, se siente moralmente obligado por sus hermanos, pero más por su mujer y sus hijas, las que esperan y vigilan en lo alto del puente; fingen conversar y no estar nerviosas. A veces el patrullero pasa y las mira con desprecio.

Después de regresar de Angola, intentó ser ponchero. No tuvo éxito porque la competencia era excesiva. Luego comenzó el trasiego de viandas del campo para vender en la ciudad, pero los policías después del registro, decomisaban los transportes con las mercancías.

Los hermanos traían tabaco robado. Al comienzo era relativamente fácil: esperaban escondidos en la orilla de la

carretera, cerca de un bache o una línea de tren, los camio-
nes que salían cargados con pacas de tabaco; cuando el
chofer aminoraba la velocidad, de un salto se subían y
comenzaban a tirar los bultos, mientras los otros los iban
recogiendo.

A Manolo le propusieron darle un poco de tabaco para
que revendiera. Tras muchas dudas aceptó. Y no tuvo otra
alternativa que salir en la bicicleta a buscar compradores.

Desde el sitio donde Manolo y sus hermanos
permanecen ocultos en el río, sólo alcanzan a ver
sobre el puente las siluetas de las figuras de sus mujeres y la punta roja de los cigarros que hacen círculos
anunciando una animada conversación, señal de que
no hay peligro. Manolo siente el latido de la herida
como un golpe seco en su cabeza. Ahora ni el dolor ni
la preocupación por la infección son sustanciales, lo
importante es robarse los tabacos y luego entregárse-
los al grupo de revendedores que interceptan a los
turistas para ofrecerles los Cohíbas a menos precio
que el Estado.

Para evitar los atracos, la primera medida que tomó
la policía fue situar a varios agentes en el trayecto que
debían hacer los camiones, con lo que disminuyeron las
posibilidades de asaltarlos. A veces, tenían tan poco tabaco

que ni siquiera podían darle picadura a Manolo. De todas formas los agentes no fueron suficientes y los ninjas continuaron el saqueo. Entonces la policía decidió escoltar los camiones con dos autos patrulleros, uno delante y otro detrás. A partir de ese momento, fue imposible continuar la piratería.

Cuando los pies caen en inesperados huecos del fondo del río, no pueden evitar que el agua les llegue a los labios. Sienten el fango y la arenilla en sus lenguas, pero el nerviosismo les impide regodearse en la sensación. De todas formas, ya saben que la peste es sólo al principio, pronto se van adaptando, se sumergen sin pensar en aquella nube fétida que los cubre y se convierte en parte inseparable de ellos. Al regreso, sus esposas fingen no advertirlo, pero tampoco se les acercan más de lo necesario, los llevan al baño y luego de varios lavados el mal olor aún resurge por la boca y los poros.

Cuando se hizo imposible asaltar los camiones, alguien dijo: "si Mahoma no viene a la montaña...". Entonces decidieron usar el monte, abrir caminos para alcanzar la fábrica y sustraer los tabacos. Llegaban hasta las cercas, vigilaban al custodio y, al primer descuido, sacaban las pacas de tabaco.

Manolo no puede evitar recordar la primera noche que aceptó acompañarlos con el propósito de vigilar. Sólo esta vez, les advirtió. Ya allí, frente a aquellas montañas de tabaco, se le abrieron los ojos y abandonó la vigilia, comenzó también a llenar su saco. El regreso y traslado de la mercancía era peligroso. El peso no les permitía moverse con rapidez y los policías disparaban a quemarropa.

En el trasiego de lo robado perdieron a varios amigos. Así sucedió con Mario; lo sintieron quejarse por el susto cuando la bala le movió la camisa y la piel, pero siguió corriendo porque aún no llegaba el dolor. Los otros se habían separado en su huida desesperada, apenas atendían a quien quedara en el camino, los disparos no les permitían pensar, tan sólo percibían el silbido de las balas, y Manolo, que reconoce el sonido de los proyectiles cuando pasan cerca, sabe cuán peligroso es correr a ciegas. Hace mucho aprendió que sobre la marcha es preciso crear un plan táctico emergente; también aprendió que a los compañeros no se les deja tendidos en el suelo. Y mira atrás, le grita a Mario que corra pegado a él, que no afloje el paso. Pero el herido no puede, marca un trote que lo lleva sin rumbo fijo, la falta de aire se acrecienta, y no obstante la sangre que le baja desde el pecho, sigue aferrado a su saco.

Manolo también está consciente de que debe continuar, en la guerra no todos pueden salvarse, sólo preocupa la técnica, tiene que regresar y quitarle el fusil, en caso de que mantenga vida, dejarle en su mano la pistola con una bala en el directo, arrancarle la chapilla que cuelga de su cuello; y cargar su saco para entregarlo a su familia; pero ahora no puede alejarse y dejarlo allí, ése es mi vecino, coño, se dice, casi mi hermano, criados toda la vida en el mismo plante del juego de bolas, salíamos en grupo con la primera novia de la adolescencia; entonces, cómo pinga puedo dejarlo. Queda indeciso hasta que lo ve soltar el saco y caer. Manolo se detiene, piensa que arrastrándose podría regresar a buscarlo, pero las fuerzas no se lo permiten, y tira su saco también, los otros ya se perdieron en la maleza. Retorna, le grita desesperado que haga un último esfuerzo, falta poco, te lo juro. Mario jadeante llora impotente, sólo mira al saco tirado a unos metros, tiene los dientes apretados. Manolo ve acercarse las linternas de los policías, se gritan entre ellos, se alertan, como harían los cazadores de tigres. Los policías encuentran a Mario solo y sin vida, con la mirada fija sobre el cabrón saco.

Al amanecer, cuando regresan del río, a Manolo le curan la pierna, su esposa le exprime la herida, primero sale el agua fangosa, luego el pus, hasta que asoma la sangre turbia, las gotas de sudor le recorren el rostro y las manos le tiemblan, su voz se resquebraja, la amenaza con no regresar al río nunca más, pero la mujer prefiere dejar de escucharlo; tras varios apretones, brota la sangre limpia, su rabia se debilita, y se va apagando hasta convertirse en la súplica de un niño indefenso que amenaza con desmayarse.

Luego de la muerte de Mario, Manolo pasó varios días sin dormir por el miedo de volver a la fábrica, sabía de las jugadas irónicas del destino. Teme que luego de salvarse de tantas batallas, ahora, unos comemierdas sin experiencia de lo que es un verdadero combate, vinieran a clavarle unos plomos y dejar a sus hijas huérfanas. Los hermanos le insistían en regresar, contigo no sucederá nada, aseguraban. Tienes carisma para jefe, le dijeron, y con tu presencia nos sentimos menos inseguros y desprotegidos. Y era cierto, no podía evitarlo, comenzaba a mandar, a señalar los posibles peligros, a llevarlos y traerlos como el guía de una manada.

Pero ahora sabía que eran inevitables más muertes, los caminos estaban tomados por los guardias, raramente pasaba un día sin un herido o un muerto. La noche anterior, un ninja, en su escapada con un saco al hombro, quiso saltar una cerca con tanta prisa que su cuello quedó ensartado del último alambre, la herida era tan grande que se le podía meter un puño sin dificultad.

Los días de bonanza quedaban atrás, sus hermanos permanecían inactivos, jugando dominó y bebiendo ron barato para olvidar las necesidades de sus familias.

Por ser suya la idea, no ha podido evitar entrar todas las noches al río a pesar de la herida en la pierna. La luna no puede espantar el tinte de la oscuridad. Sus tres hermanos y su sobrino continúan ocultos en la orilla a la espera de la mejor oportunidad para avanzar. Aún pueden ver cómo las puntas rojas de los cigarros se mueven sobre el puente.

Con paciencia, espera que los policías con sus linternas terminen de revisar entre los arbustos y se alejen. Manolo dice: vamos, y el grupo de hombres comienza a moverse. Al caminar, las botas se entierran en el fango. Lo hacen lentamente, cualquier movimiento brusco puede llamar la atención de los guardias. La frialdad, al traspasar los pantalones, les hace respirar profundo hasta que sus cuerpos se habitúan. Se deslizan como delfines de agua dulce, al menos así prefiere imaginárselo Manolo, aunque el resto diga que como los hurones. Sus brazos y sus cuerpos tienen contacto con excremento humano; pero tratan de no pensar en ello, instintivamente los apartan y continúan avanzando. A veces una pierna se hunde tanto que les resulta difícil rescatar la bota. Manolo siente con más fuerza el latido de la herida. Mira hacia el puente, las siluetas se alejan; se pregunta si regresará con vida. A lo que más le teme es a la curva del río, a dejar de ver el puente y a su familia. De alguna manera ver a su mujer le hace sentir seguro de que nada le sucederá, porque, aunque no la escuche, sabe que está rezando, haciendo promesas a los santos, y eso le brinda un poco de confianza.

A su regreso de Angola, encontró otra guerra por la supervivencia. El miedo por las continuas persecuciones y el acoso de la policía en el barrio, no le permitía dormir; pero sabía que si dejaba de recibir el dinero diario de la venta de los tabacos, era volver a la crisis, al hambre.

Una noche soñó que un disparo lo hacía caer en el río y su cuerpo se hundía en el agua oscura y fría, dio un salto en la cama y comenzó a llorar, mientras su esposa le pasaba una mano por la espalda y con la otra le tapaba la boca para que no despertara a las niñas; hizo un alto, calló y bruscamente comenzó a reír, Ochún le brindaba la solución: el río; fue hasta la imagen de la Santa que permanecía en el cuarto de las niñas, se arrodilló y comenzó a besarla en señal de agradecimiento.

Llevan casi una hora caminando por el río, les duelen las piernas y los brazos. La cabeza parece que va a estallarles de tanto fijar la vista, queriendo descubrir entre la oscuridad a los guardias y sus trampas.

Las mandíbulas castañetean por el frío, el silencio o por el miedo, Manolo le tapa la boca a su sobrino, le sujeta la quijada, le pide por señas que respire y expulse el aire lentamente y el sonido desaparece. Avizoran los grandes almacenes; extreman precauciones, ahora los movimientos son más lentos, la tensión se agudiza y el miedo parece romperles el pecho. Se pegan al muro, esperan que la luz del reflector se aleje hacia el lado contrario. La ropa húmeda y el cansancio duplican el peso de sus cuerpos. Después de saltar a la orilla se arrastran por el patio hasta llegar a las naves. Los custodios conversan en su garita. El sobrino vigila mientras llenan los sacos de *nylon*. Luego los llevan hacia el muro y los dejan caer al río. Con una soga larga los amarran uno al otro. Y emprenden el retorno en dirección del puente. Por momentos se apresuran y chapotean. Manolo los detiene, mueve las manos como un director de orquesta pero sus acompañantes no lo ven hasta que tropiezan con él. A lo lejos las luces de las linternas hacen visibles los movimientos de los policías todavía buscando entre el marabú.

El regreso se hace largo, muy largo. Ya están ante el puente; las mujeres escuchan el silbido que les avisa de su llegada. Ellas miran hacia los lados asegurándose de que no hay peligro. Vuelven a encender los cigarros y los mueven en círculo, señal de que pueden salir.

El día siguiente de la pesadilla, Manolo se lo pasó dando vueltas en su cuarto, no quería decir lo que se le había ocurrido, no deseaba ser el causante de la muerte de nadie. Sin embargo, sabía con seguridad que su plan daría un excelente resultado, ya lo había hecho en Angola. Su mujer le pidió varias veces que lo consultara con sus hermanos, pero él se negó.

Ella fue hasta el grupo de dominó y comentó que su marido tenía una nueva estrategia para llevarse los tabacos. En pocos minutos ya estaban asomados a la puerta del cuarto.

—Cada hombre debe saber qué hacer para sí —aseguró Manolo—, para con la patria, y sobre todo, para con su familia...

Le hicieron una seña para que abreviara, no querían muela ni teoría.

—Esta guerra es diferente a la que dejaste allá —le dijo uno de los hermanos.

Quedaron esperando. Volvió a permanecer otro rato en silencio, salió al patio, luego caminó hacia la calle. Fueron tras él. Tenía la mirada perdida. A los cien metros se detuvo sobre el puente, sus acompañantes lo miraban desconcertados, allá abajo sólo quedaba el agua sucia y sin peces. Y Manolo señaló a lo largo del río.

—*Éste es el camino* —*dijo, y el dedo se elevó hasta los gigantescos tanques que se empinaban sobre los techos de la fábrica.*

Las sonrisas aparecieron, se preguntaron cómo no se les había ocurrido antes: las pacas de tabaco flotan, la policía no podría sospechar que entre esas aguas negras se deslizarían, primero ellos para robarlas y luego las pacas con ellos.

Las mujeres, después de ayudarlos a salir del agua, esconden la mercancía en una casa segura.

El dolor en la pierna despierta a Manolo, tiene el cuerpo sudado por la fiebre. Esta mañana sus hermanos no duermen hasta tarde ni las mujeres han salido con las jabas a vender el tabaco. Todos aguardan de pie alrededor de su cama. Su sobrino tiene los ojos empañados por las lágrimas. Reconoce al médico que han traído, es amigo de la familia.

—No puedo hacer otra cosa —y lo mira desconcertado—. La gangrena está subiendo, si no actúo rápido te matará en horas.

Manolo no puede evitar las lágrimas. Se pregunta por qué la mala suerte tuvo que tocarle a él. Mira a las niñas que juegan con sus muñecas; como si lo intuyeran, arrancan con violencia los brazos y las piernas a sus juguetes, hasta que sólo quedan el cuerpo y la cabeza. Sabe que así quedará él. Pero ahora eso no es importante.

Sólo le preocupa cómo hará con una sola pierna para trasladarse por el río.

Ángel Santiesteban Prats (La Habana, 1966). Narrador. Graduado de Dirección de Cine.

Su obra ha sido publicada en México, España, Puerto Rico, Suiza, China, Inglaterra, República Dominicana, Francia, Estados Unidos, Colombia, Portugal, Martinica, Italia, Canadá, Argentina, Brasil, Australia, Venezuela, Finlandia, Corea del Sur, Islandia, Eslovenia y Alemania.

Ha ganado los premios Juan Rulfo (que convoca Radio Francia Internacional), Premio Nacional de los Talleres Literarios, Premio Nacional de Escritores de la UNEAC, Premio César Galeano, Premio Alejo Carpentier y el Premio Casa de las Américas.

Destacamos sus obras: *Sur: Latitud 13, Sueño de un día de verano, Los hijos que nadie quiso, Dichosos los que lloran* y las antologías en las que ha sido incluido en varias partes del mundo: *Nuevos Narradores Cubanos, Cuba y Puerto Rico son, Cubanísimo, La terra delle mille danze, Con L'Avana nel cuore, Cuentos sin visado, Islas en el sol, Fábula de Ángeles, The voice of the turtle, La isla contada, Los nuevos caníbales, Dorado Mundo y otros cuentos, Irlanda está después del puente.*

La mujer y el tabaco

Dulce M.ª Sotolongo Carrington

Nadie toca a la puerta, pero la mujer espera como quien sabe que algo ha de suceder. La caneca de aguardiente también se muestra vacía, ya ni conserva el antiguo olor a ron Santeiro. Ha caído en desgracia y una cartomántica en desgracia no puede hacer otra cosa que leer su propia suerte. Mira el cenicero, los cabos de tabacos huelen a vestigios de historias ajenas, ilusiones que alguna vez se hicieron realidad.

Siente al marido roncar, con ese ruido que tanto la exaspera, ruido que anuncia una noche de ausencia al lado de un cuerpo inútil, masa boba que la hará dar vueltas y vueltas en la cama.

La mujer prende el mocho de tabaco, que considera mayor y empieza echar humo por los rincones de la casa como quien quiere exorcizar al diablo que presiente burlón en cada telaraña. El humo crea una cortina que la hace olvidar que él está ahí, roncando, que ya no tiene clientes a quien decirle la buena suerte, que el sexo se ha convertido en ver películas pornos donde las mujeres se gozan unas a otras. El marido la besa, le succiona hasta el alma y después, el miembro cae dormido.

Los santos no observan, cuando hace el amor les tira unas sábanas, no es superstición, no es respeto, adivina la burla de Ochún que le susurra: *Magdalena, todas las putas terminan iguales.* Orula ha hablado en boca del hermano que es babalao: no puedes dejar a ese hombre y la mujer permanece estática en su destino.

Mira a la puerta y exhala otra bocana de tabaco barato de la bodega, casi se quema los dedos cuando bota el cabo no antes de prender otro, se sienta en la silla y vuelve a meditar.

Todo comenzó en el vientre de su madre soltera, dice su abuela que lloró tan alto que hasta el perro huyó despavorido, la abuela profetizó: *es niña y será vidente.* Al nacer, el perro desapareció, la mata de albahaca se cubrió de flores, según la abuela anunciando un futuro prometedor y en la misma cuna la bautizó con una bocanada de humo que por poco ahoga a la recién nacida, pero la abuela dijo: *está en trance, pronto se le pasará.*

El día antes de morir la abuela que nunca había padecido ni de un simple catarro y a la que nunca tampoco se le conoció marido, Magdalena soñó con una vieja vestida de novia que desde un tren le tiraba un ramo de flores, le preguntó a la anciana qué significaba ese sueño, entonces, la abuela se vistió de blanco, se acostó en la cama y quedó dormida para siempre.

El cuarto de la abuela quedó vacío con un camapé, una mesa con dos sillas, a una le faltaba el respaldar, la otra tenía una pata coja. Olía a luz brillante[1] con incienso, a manzanilla con tilo, a flores marchitas, a vejez. En la pared un hombre vestido elegantemente interrogaba la pobreza del sitio.

En una vieja vitrina que Magdalena nunca había podido abrir encontró varias novelitas de Corín Tellado, la muchacha se impregnó de sueños donde encontrar un marido con treinta años, rico y apuesto era la ilusión de jóvenes como ella. También halló un cofrecito cuya llave no apareció, cuando la madre, a pesar del dolor que le causaba violentar las cosas, decidió abrirlo con un destornillador. Ni dinero, ni joyas, ni siquiera la medallita de oro de la Caridad que tan celosamente guardaba la anciana, en cambio había un juego completo de naipes, sin usar, con un papelito que decía: *para Magda,* y un reluciente tabaco marca

---

1. *Luz brillante:* keroseno.

H.Upman dentro de un tubo de metal, envuelto en un sobre que decía: *a los cuarenta años, sólo a los cuarenta años el humo te llevará a tu destino.*

La madre entregó los naipes a la hija y, más incrédula que convencida, le dijo: *sabes usarlas.* La adolescente barajó con la agilidad de un mago y sólo vaticinó: *nunca saldremos de este solar.* Para oír desgracias era preferible permanecer ajena a un futuro que se mostraba incierto, la madre quiso tirar el juego al fuego, pero la hija afirmó: *si lo haces, morirás.*

Sin la influencia de la abuela, la incredulidad de la madre y la enseñanza de una doctrina en la que no había lugar para espíritus, ni adivinos, Magda nunca más tocó aquellas cartas, aunque a veces en la escuela al campo y en la misma aula, sus amigas le pedían que leyera sus manos, se convirtió en un juego divertido que le aseguraba paquetes de galletas, cremitas de leche, el conocido fangito y hasta ropas de esas que estaban a la moda y le hubiese sido imposible comprar con el salario de la madre que era secretaria en un hospital.

Leer las líneas de las manos era fácil, en un libro había aprendido cuál era la línea de la vida, cuál la de la muerte y cuál la del amor. Todo lo demás era habilidad e inteligencia. A los jóvenes le interesaba el amor y a las mujeres, específicamente, cuántos hijos iban a tener, algunos se preocupaban por si iban a aprobar o desaprobar tal asignatura, pero Magda les decía que solo podría responder temas más generales, lo de los exámenes escapaba a las líneas, donde no se reflejaban las decisiones de los profesores: lo mejor era estudiar.

La mejor amiga de Magda, Laura, nunca le pidió saber su futuro, le dijo: *el futuro está en lo que puedas hacer con tus manos y no en lo que puedas leer en ellas*.

Una noche despertó toda bañada en sudor, otra vez soñaba con novias, era su madre que le tiraba un *bouquet,* suspendido en el aire, trataba de alcanzarlo y no podía. Al despertar, la mujer boqueaba y por más que corrieron los vecinos, llegó muerta al hospital.

Magda abrió el cofrecito y tomó las cartas: *nadie puede escapar a su destino*, se dijo, pensó que necesitaba dinero, además de los naipes se compró una güija, le prestaron el tarot, se buscó una pirámide, un péndulo y hasta los caracoles para decir la suerte; creó una especie de sistema de adivinación que ni Notredame en sus buenos tiempos hubiera podido hacerle competencia.

El cuarto de Magda se convirtió en tienda de gitana. Con el dinerito que ganó, se compró un televisor a color, un frío, muebles nuevos y hasta un toca-disco. Debió haber salido del cuarto pero todos los días alguien tocaba a la puerta para pedirle que le dijera el futuro. No cobraba nada, sólo pedía aguardiente y tabacos para poder concentrarse mejor, aunque los regalos llovían a pesar de la escasez

Los apagones eran sus mejores aliados, en la penumbra lograba mejor concentración, las velas eran columnas de templo griego que la hacían creer que era una pitonisa. Luis cumplió su sueño de irse a los Estados Unidos, Bárbara llegó a ser gerente de una *shoping*. Irene ganó el concurso de canto con premio de la popularidad incluido, y así entre tabacos, velas y aguardiente, la gente se esforzaba por cumplir sus sueños. De tanto pensar en los demás se olvidó de ella misma. No estudió nada y los únicos libros que leía era los que necesitaba para asegurar su clientela.

El aguardiente se convirtió en su mejor aliado; tomaba día y noche con el pretexto de tener más claridad en sus premoniciones, pero lo que más placer le daba era fumarse uno de los Cohiba que unos clientes italianos le regalaban, claro está, para Francisca, la muerta que la asistía, que cada día se volvía más exigente. No podía alejar aquellos sueños en los que acariciaba las velas y se quemaba las manos con el esperma. Para ella no eran más que falos a punto de eyacular.

La clientela masculina aumentó, la gitana tropical era un plato exquisito para los hombres, y las mujeres, temerosas de quedarse sin marido, nunca más fueron a verse: *Es una descará, una puta, me dijo que dejara a Aurelio, y más nunca he conseguido un marido.* Juana se encargó de regarlo en el barrio. Como las broncas no faltan en los solares, un día Irene le dio una bofetada que la hizo permanecer varios días con gafas oscuras, mientras Aurelio se gastaba todo el salario en aguardiente Santeiro y tabacos de marca, tan solo para sentir las suaves manos de Magda rozando sus callosas manos.

Primero fue el carnicero, otro el bodeguero, otro el estudiante de medicina, y de adivina se convirtió en puta. Y como las putas no tienen credibilidad se fue quedando sola. Sola con la botella de ron, sus tabacos y sus velas.

Pedro un mulato bien parecido y extrañamente soltero, apareció una noche y la consulta terminó en la cama. Él le lamía y le lamía el sexo y Magda se retorcía en una hoguera de placer. Se encontraba en una plaza rodeada de gente donde una multitud enardecida le llamaba bruja: *Quemen a la bruja, es la sirvienta del diablo.* Y las llamas comenzaron a arder y Magda habría querido retractarse como Galileo, pero su lengua convertida en serpiente trataba de devolver cada caricia, ensalivar a la víctima para tragársela después. No correría la suerte de la madre y de la abuela, ella sí tendría un marido. Cuando abrió las piernas para ser atravesada, un ronquido le rompió la noche.

Noche tras noche continuó visitándola, ella lo esperaba, con la misma ilusión de su adolescencia cuando leía a Corín Tellado, novelitas en las que, por cierto, nunca se pasaba del beso. Le preguntó a los naipes y la respuesta fue: *ese es tu hombre*; habló con el hermano babalao, y Orula dijo: *ese es tu destino*. Pedro la obligó a que nunca más consultara nadie, la llevó a alcohólicos anónimos y, poco a poco, como Magdalena, fue perdonada por sus pecados.

El día que cumplió 40 años quiso saber su propia suerte, abrió el cofre de la abuela y allí estaba el tabaco en su estuche metálico, las cartas contaban historias, ajenas. Mientras, ella permanecía estática en su destino. El humo le trajo el recuerdo de ilusiones que un día se hicieron realidad.

Dulce María Sotolongo Carrington (La Habana, 1963). Editora, ensayista y narradora. Graduada de Filología. Ha publicado las antologías *Té con limón*, en coautoría con Amir Valle, *Cuentos de payasos*, de Edwing Fernández, *Las aves y otros cuentos*, de Abel Prieto Jiménez, y el ensayo *De la letra a la vida*, en coautoría con Georgina Pérez. Obtuvo el premio Ábdala de cuento con *Óleo para Palestina* y tiene en preparación los testimonios *Marqueti, número 40* y *En el balcón aquel*, el libro de relatos *A la sombra de un ala* y la antología lésbica *Nosotras dos*.

Entre ese humo y esa gente

Juan Ramón de la Portilla

El vuelo no estaba demorado, lo que podía entenderse como un buen augurio. Faltaban más de tres horas para la partida y la pareja decidió tomar asiento cerca de los mostradores de la compañía cuyos servicios había contratado el hombre para viajar hasta Europa. Otras personas habían pensado lo mismo, por lo que ese sector de la terminal se veía más concurrido y seguiría poblándose según pasara el tiempo.

Tras los mostradores se afanaban varios uniformados empleados de la compañía aérea y algunos apresurados turistas hacían fila junto a sus equipajes y hablaban alto y lanzaban alternativas miradas a sus relojes y a los tres letreros sobre los mostradores que rezaban Iberia, Habana-Madrid.

Un muchacho que cargaba una mochila se acercó a la pareja para pedirles lumbre. Tenía un cigarrillo entre los dedos, que alargó un tanto en dirección al hombre, típico gesto de quien solicita ese favor. Parecía cubano, quizás un becario de alguna universidad española.

–No fumo –dijo el hombre, adusto, enfrentándolo. Al punto se volvió hacia su compañera, que le estrechó una mano con rapidez y se apretó contra él.

–Ah, disculpen.

El joven quedó perplejo unos instantes, sonrió levemente y volvió sobre sus pasos. Unos metros a la derecha de la pareja tenía una gran maleta negra custodiada por dos personas de edad avanzada, que podrían ser los abuelos, más que sus padres. La mujer, siempre apretada a su marido, vio al muchacho descolgarse la mochila, que dejó junto a la maleta negra para encaminarse, con el cigarrillo intacto colgando displicente de sus labios, hacia un expendio de bebidas y souvenirs atestado de gentes.

–¿Y eso también te parece una buena señal? –dijo el hombre.

–No creo que pueda interpretarse de esa manera. En sitios como este es normal que alguien se te acerque a pedir candela.

–Pero estamos rodeados de gentes, las gentes nos rodean como el agua rodea a esta tierra maldita. Y tiene que venir a mí, precisamente.

–Creo recordar que sólo puede calificarse de maldita a la circunstancia, según el poema de Piñera, y la tierra en todo caso sería baldía...

Ella quedó pensativa. La tierra baldía... e iba a agregar, jocosa, "míster Eliot", pero no se atrevió, temió que él fuese a mal interpretar una broma que sólo pretendía sacarlo de sus preocupaciones. El hombre, por otra parte, atravesaba una de sus ya frecuentes crisis de identidad creativa, como solía llamar a aquellos períodos en los que dudaba con fuerzas de su estro[1] y hasta de su vocación. Se encerraba entonces en sí mismo, dedicado únicamente a leer autores clásicos, y a traducir. Pero eran etapas que ella entendía necesarias porque le insuflaban nuevas fuerzas, agua marina que se repliega para lanzarse poco después, sin piedad, sobre la tierra acogedora que debe ser destruida.

Pese a interpretar para sí de manera optimista aquel extraño estado de cosas, siempre la dominaba la angustia, y deseaba que en mitad de tales períodos surgiera, como ahora, algún proyecto diferente que lo distrajera de sus estudios y traducciones. Por eso lo había instado a no desaprovechar la oportunidad de viajar otra vez a Europa. Se trataba de impartir unas

1. *Estro:* ardoroso y eficaz estímulo con que se inflaman, al componer sus obras, los poetas y artistas capaces de sentirlo.

conferencias en una universidad, lo que no estaba nada mal, si se veía el asunto con sentido práctico: salir de la depresión abandonando por unos días el ambiente opresivo del gabinete propio, superar la angustia de la página o la pantalla del ordenador en blanco con un saltito hacia otro continente y de paso conseguir algún dinero.

En ese momento ella abrió el maletín de mano que llevaba el hombre y hurgó entre papeles, libros y cajas de tabacos. Opinó que no debería llevar tanto tabaco encima y le dijo que mejor trasladaba a la maleta grande un par de cajas. Él dudó, igual acarreaba una gran cantidad de tabaco en la maleta y temía tener que enfrentar algún aduanero demasiado estricto, que no se decidiera a dejarlo entrar a la Unión Europea con tanta mercancía. Por eso tenía que portar mucho tabaco en su bolso de mano, puros sueltos de diferentes tamaños y grosores, anillados o sin la anilla, y también cajas de marca. Con todo ello podría negociar, cediendo, ofreciendo, regalando, a los efectos de que la mercadería fuese finalmente vendida a desconocidos o amigos, daba igual, pero vendida, trocada, y que cientos de euros fuesen a parar a sus bolsillos como resultado de la operación.

El hombre sonrió y ella se sintió como aliviada de un gran peso. Tampoco había necesidad de correr riesgos inútiles pero él desechó rápido ese razonamiento, qué podía suceder, en el peor de los casos la mercancía sería incautada y la pérdida en dinero, magra, no significaría la ruina, ni mucho menos, a tan bajo costo habían conseguido aquellas cajas de tabacos. Pensó que podría enfrentar lo invertido, en el supuesto de una debacle total, con parte del dinero que le pagarían por las conferencias. Entonces, no había riesgo, y como no lo había, las cosas irían bien. Esa era una de sus divisas, las cosas salían bien cuando no iba la vida en el asunto. Estaba convencido de que su análisis hubiese sido otro si aquellos *Cohíbas*, aquellos *Robustos*, aquellos *Lanceros* tuviesen que seguir con él a como diera lugar hasta depositarlos en las codiciosas manos de sus clientes europeos.

Súbitamente otro, laxo, lanzó un suspiro y contempló el sector de la terminal que se extendía ante sí, y que continuaba recibiendo personal. Daba la impresión de que sólo podía una persona en ese entorno ocuparse en conversar y fumar; así, un murmullo denso y general flotaba como una niebla omnipresente, pareja del humo que escapaba de cientos de pitillos.

–Henos aquí, entonces, entre ese humo y esa gente –dijo el hombre.

–Pero sólo será por un rato, porque te hallas a las puertas del cielo.

A él siempre le gustó ese cuento de Cortázar, en especial el tono, todo un hallazgo lingüístico que realzaba la historia pobre de Mauro y Celina y hacía olvidar ese giro ilusorio que aparecía al final del relato y lo tornaba truculento. No pasaba allí lo que en otros textos del maestro argentino, donde el elemento fantástico nacía de la propia trama y era ubicuo y a la vez intangible, coherente. Murmuró para los dos las últimas líneas del cuento:

–*Lo vi levantarse y caminar por la pista con paso de borracho, buscando a la mujer que se parecía a Celina. Yo me estuve quieto, fumándome un rubio sin apuro, mirándolo ir y venir sabiendo que perdía su tiempo, que volvería agobiado y sediento sin haber encontrado las puertas del cielo entre ese humo y esa gente.*

–Los Gauloises están siempre en la obra de Cortázar –dijo ella–. Todos sus personajes los fuman: Oliveira, la Maga, incluso Bruno, el crítico de jazz.

–Personajes precisos pero difusos, contorneados en humo. Un buen personaje debe tener un buen tabaco, lo mismo en la literatura que en el cine. Si digo María Mancini pienso en Castorp y hasta en Mann. Casablanca es Bogart pero también el cigarro colgándole del labio inferior. Y ni hablar de Lezama Lima o Groucho Marx. Imagínalos a los dos, cada uno tirando de un asa de mi maleta para hacerse con mis habanos, ese premio gordo. La mujer le sonrió con dulzura y le dijo que lo extrañaba, aún estaba a su lado, aún podía tocarlo pero ya lo extrañaba. Se abrazaron unos instantes antes de dirigirse a chequear los equipajes, él arrastraba la pesada maleta y ella se había colgado de un hombro, garbosamente, el bolso de mano.

Juan Ramón de la Portilla Negrín (Pinar del Río, 1970). Narrador, poeta, ensayista, crítico literario y editor. Graduado de Ingeniería en Equipos y Componentes Electrónicos. Desde 1997 es Director del Centro de Promoción Literaria Hermanos Loynaz. Textos suyos aparecen en importantes antologías y revistas.

Ha obtenido varios premios literarios: Premio en Narrativa y Premio Especial en el Concurso Hermanos Loynaz, Premio Pinos Nuevos, Premio D'Arte, Primer Premio en la Beca Mascarada de la AHS, Premio Cubaneo a la mejor obra artística y literaria, Premio Regino Boti de Narrativa y Crítica Literaria, Premio José Soler Puig de novela. Posee la Distinción por la Cultura Nacional, desde 2004.

Ha publicado *Sólo las palabras* (poesía); cuentos: *Hechos en casa, Olvida ese tango, El manisero y otros cuentos*; novelas: *La mujer de Maupassant* (Premio UNEAC de novela Cirilo Villaverde 1999) y *El mundo libre* y los ensayos *La mirada entre los barrotes* (sobre la obra narrativa de Dulce Maria Loynaz) y *Veredas tropicales de la escritura*.

El hombre de Nimes

Laidi Fernández de Juan

Cada vez que íbamos a la casa de la prima de Ranchuelos, nos extraviábamos. Éramos personas con un mediano sentido de la orientación, con experiencia suficiente en las calles de la provincia y con regular conocimiento de los trayectos viales, pero, repito, siempre nos perdíamos.

Ni siquiera lográbamos equivocarnos por los mismos lugares. Cada vez, nuestro error descubría nuevas rutas que nos desviaban de la casa, sin que supiéramos por qué.

Lejos de angustiarnos, mi marido y yo nos divertíamos: ¿La última vez que pasamos por aquí ya estaba esa palma tan grande? ¿Estamos seguros de que el mercado campesino quedaba en esa esquina? ¿No es aquel estadio de fútbol del que habla la prima para que nos orientemos... o dice que es de pelota... o será un parque?

Era una persona singular la prima (que no era mía sino de mi marido, además de ser de Ranchuelos). No era ni remotamente linda, pero cuando yo la conocí (una de las veces que fuimos invitados para una cena, y que llegamos cuando servía el café) me dí cuenta de que su relativa fealdad no le impedía irradiar gran simpatía.

Sólo ella lograba que la familia no perdiera vínculo, aunque fuera para contarse los mismos cuentos, recordar las mismas historias y añorar juntos los recuerdos que cada uno repetía hasta armar el rompecabezas de la historia familiar.

Las excusas para las reuniones eran de tan diversa naturaleza, que nada nos extrañaba. El poder de convocatoria de la prima, su esmerada hospitalidad y el cuidado que ponía en los detalles, lograban que los miembros del clan acudieran a las citas.

A Esperanza le sacaron cinco piedras por la uretra. Vengan todos a la noche. Cumple años Zulema, la mujer de David. Habrá chilindrón. Floreció el cactus gigante, parió la mata de aguacates y hay más de cien mangos pintones. Traigan jabas.

A sus tres hijas, casadas con extranjeros, yo sólo las conocía a través de los álbumes de fotos que la prima enseñaba siempre con orgullo, y que yo me aburría de mirar. Tres nietos de Senegal, dos niñas finlandesas y unos gemelos de Francia, en enormes retratos enmarcados nos recibían, sonrientes en la sala al lado de sus madres, tan poco agraciadas y en apariencia tan simpáticas como la prima de mi marido.

En ocasiones, había sesiones de vídeo, cuando alguien de la familia consideraba que no era suficiente la fría contemplación de fotos, o se cansaban todos de hablar de sus propias niñeces. Pasábamos entonces a un salón preparado para el deleite de imágenes en movimiento. Aunque para mí resultaban desconocidos los rostros de las películas, a veces me contagiaba el alborozo de los demás, y me sorprendía exclamando ¡Cómo ha crecido el senegalés! ¡Qué hermosa la primera de Finlandia! O ya empiezan a diferenciarse los idénticos de Francia.

El sitio que yo prefería en la casa era el patio. Allí, en una hamaca suspendida entre dos matas de mango, me acostaba a descansar de la parentela. Mientras lo hacía, fumaba mis queridos H.Upmann sin que nadie me hablara del día que mi marido orinó encima de la abuela Marily, de la tarde que el abuelo Ponce salió a pasear y regresó sin zapatos, de cómo las tres hijas de la prima lograron cazar a tres extranjeros a base de sonrisas y de otros encantos exclusivos de las ranchueleras y de otras miles historias que no tenían fin.

Ha llegado Pierre, el padre de los gemelos. Vengan el domingo. Habrá torneo de dominó, nos dijo la prima un miércoles.

Decidimos que la travesía comenzara después de almuerzo, cuando el tráfico dominguero es más flojo, con la idea de llegar antes del atardecer. Por el camino, mi marido y yo fuimos (además de tomar por direcciones equivocadas) imaginando cómo sería el francés, cómo la familia iba a lograr comunicarse con él y por qué habría viajado sin la esposa y los niños.

Cuando al fin llegamos, la prima nos recibió en el portal con su acostumbrada hospitalidad, y dos vasos de champola helada. El resto de la familia, nos dijo, estaba en el patio, conversando con Pierre.

¿Habla español? preguntó mi marido, compruébalo tú mismo, respondió la prima, al tiempo que nos llevaba a la parte trasera de la casa.

Allí, sentado en mi querida hamaca, lo encontramos. Si alguna vez he sentido que estaba equivocada con la idea de un francés como símbolo de sensualidad, exquisitez y refinamiento, fue esa tarde de domingo. Más feo que cualquiera de las hijas de la prima, gordo como un rinoceronte y echando carcajadas entre eructos, nos miró Pierre a mi marido y a mí cuando fuimos presentados , y no tuvo la educación de adelantar una de sus manos, seguramente pegajosa.

–Ah... llegaron los que siempre vienen tarde. Ya me habían advertido. Pasen, acomódense donde puedan, porque no pienso comprar butacones para ustedes.

Los demás primos, sobrinos, tíos y abuelos, estaban sentados en taburetes, banquetas, sillas y sillones, dispuestos a manera de semicírculo alrededor de la hamaca. A mi marido y a mí no nos quedó otro remedio que sentarnos en la tierra, sumados al espectáculo de admiración hacia aquel hombre.

—Y entonces le dije a mi mujer (dijo continuando la historia que había iniciado en nuestra ausencia): Tú te quedas aquí con los mocosos. Yo me voy al Caribe a beber ron de caña. Para eso la tengo como una reina: con todos los trapos que quiere, vinos, *croissant* y perfumes de Cacharel, para que me obedezca cuando yo quiera.

A los parientes les pareció muy graciosa la perorata del francés. Reían a coro alabándole el perfecto español, y todo el discurso que disparaba como salido de un lanzallamas.

—Esto aquí es solo paisaje, continuó. La vida de verdad está allá, hay que dejarse de boberías. No hay vino como el nuestro, ni cine ni modas ni quesos ni panes como los franceses. Por eso yo les digo a ustedes que pueden contar con mi ayuda, que somos familia ¿no? Eso sí: quiero que trabajen duro en mi fábrica.

En ese momento tragó un buche largo de ron y eructó.

—¿Fábrica de qué? preguntó uno de los sobrinos más jóvenes.

–¡Hombre, de condones! ¿No lo sabían? ¡Ah, que ignorantes! Yo soy considerado el mayor productor de condones de Francia. Por supuesto, son los mejores del mundo. Azules, amarillos, rosados, con sabor a frambuesa, a dátiles, a Aires del tiempo, a lo que quieras, macho. Yo te digo que Nimes depende de los condones Pierre.

–¿Quién? Se atrevió a decir mi marido, tan desconcertado como yo.

–¡Hombre, Nimes, mi ciudad! Por cierto, eres más feo que Gerard Depardieu. ¿No te dijeron que tu nariz es como la de ése? ¿Lo conocen acá? ¿Han visto sus películas?

De nuevo las risas actuaron como aplausos de todos los familiares, y antes de que mi marido o yo atináramos a ripostar de alguna manera, la prima llegó al patio cargando una mesa plástica y la caja del dominó. ¡Hora del juego! anunció, como si hubiera olfateado desde la cocina (ya dije que es una excelente anfitriona).

–¡Sí, sí! coreó la familia y abrió paso poco a poco hasta que la mesa quedó en el centro, entre las matas y los asientos. ¡Vamos a 150 tantos, por parejas y doble la capicúa! ¡Que empiecen Anita, Félix, José René y el Narra! ¡Vamos, vamos, y que la segunda pareja sea Márgara y Jesusito!

De pronto el francés perdió el protagonismo, y sin nada mejor que hacer , se dirigió al interior de la casa.

–¿No juegas, Pierre? atinó a preguntar uno de los tíos abuelos, recibiendo por respuesta uno de esos gestos que no pueden ser definidos.

Cuando ya el dominó iba por la tercera anotación, todos se empeñaban en ayudar a la pareja que perdía. Mi marido me hizo notar que la hamaca estaba desocupada.

–Aprovecha ahora y cógele el puesto al francés. Voy a buscar tus cigarritos y te los alcanzo.

Yo, sin dejar espacio a la sorpresa de que mi marido supiera del placer que aquel refugio me proporcionaba, me apresuré a llegar a las matas de mango y me recosté en el tejido de soga, tan antiguo como el propio pueblo de Ranchuelos.

–Dame un lado –dijo cuando me llevó los H.Upmann– y enciéndeme uno.

Rodeados por la algarabía de la familia, que bebía, jugaba, con los chiquillos correteando, los más viejos dando cabezadas y la prima llevando bocaditos y refrescos, mi marido y yo nos balanceábamos entre las volutas azuladas que salían de nuestros cigarrillos, como dos niños que juegan a llegar al cielo en un columpio compartido.

—¿Así que los atrasados fuman? —interrumpió Pierre incorporándose al patio.

Al parecer, había decidido que nosotros admiráramos su presencia, habida cuenta que sus quince minutos eran usurpados por el dominó y por todo el ceremonial que rodea al juego.

—Ustedes no son originales ni para el vicio. Es mi deber informarles que hacen un homenaje indirecto a mi persona (en ese momento, se rascó su vientre péndulo de rinoceronte). Fíjense, es un mal francés, pero como francés, merece una reverencia, ¿qué dicen?

—Que tú eres buchipluma na má, —dijo mi marido echándole humo a la cara .

—¿Pero estás loco tú? ¡Eres más ignorante que los demás! (y se sentó en un taburete) Mira, vas a tener el placer de que yo te ilustre: la nicotina, ¿a quién crees que debe su nombre?

—No sé ni me importa, la verdad —contestó mi marido—. Pero sé algo: ni mi mujer ni yo te hacemos ningún homenaje. Si acaso, a los taínos, que eran felicísimos en esta tierra antes de que llegaran ustedes con pestes y catarro.

—¡Pero, qué ignorante! Se nota que no han avanzado mucho en esta parte del mundo. La palabra nicotina, querido primo, se debe a un coterráneo mío, Jean Nicot, que fue quien llevó el tabaco a Francia.

¿Lo sabías? Dicen que era un tipo estupendo. Bueno, imagínate, no sólo era francés, sino de Nimes, así que más respeto, que nosotros los franceses...

–¡Ustedes los franceses me tocan los cojones! –gritó mi marido incorporándose en la hamaca.

Un silencio de tumba se apoderó del patio. El juego se detuvo, todos miraron al sitio donde estábamos y nadie sabía qué hacer. La prima, buena como era, intentó anunciar que era la hora del café como quien dice "aquí no ha pasado nada", pero esta vez resultó inútil.

Pierre miraba a la concurrencia dándonos la espalda a mi marido y a mí, buscando un mínimo de apoyo, alguien o algo que lo ayudara, pero nadie hizo la más mínima señal.

Nos bajamos de la hamaca, nos alisamos las ropas recuperando la compostura y fuimos a besar a cada miembro de la familia. Hasta los más viejos se levantaron para despedirnos. Cuando llegábamos a la salida del patio, se reanudaron los ruidos. Las fichas de dominó chocaban entre sí, las botellas de ron sonaban al contacto con los vasos, y los chiquillos contaban 1, 2, 3 para el escondite.

La prima nos acompañó hasta la calle, como en una despedida más.

– Chao, queridos, vuelvan pronto.

Tardamos mucho tiempo en hallar el camino de regreso. Estuve encendiéndole H. Upmann a mi marido durante todo el trayecto, y jurándole que no se parecía a Gerard Depardieu. Que más bien tenía un aire a Belmondo.

Al acostarnos, ya bien entrada la noche, decidimos que la próxima vez la perdida sería tan grande que de verdad no íbamos a llegar a la casa de la prima. A no ser que nos garantizaran que la hamaca estaba libre de intrusos. O por lo menos, que no había nadie de Nimes por los alrededores.

Adelaida Fernández de Juan (Laidi) (Ciudad de la Habana, 1961). Se graduó de médica en 1985 y desde 1996 pertenece a la UNEAC.

Ha recibido los premios: Gran Premio Cecilia Valdés con su cuento "Clemencia bajo el sol", que posteriormente fue llevado a versión teatral, en Cuba y en Italia. Ese mismo año, recibió Mención de honor en el Concurso Internacional de cuento Fernando González, de Colombia; Premio en el concurso de cuentos Jiribilla, convocado para escritores de Cuba, Puerto Rico y República Dominicana; Premio de Cuento de la UNEAC Luis Felipe Rodríguez, con su libro *Oh Vida*; Mención en el Concurso Iberoamericano de Cuentos Julio Cortázar con su cuento "El beso" y le fue otorgada la Distinción por la Cultura Nacional y el Premio Alejo Carpentier de cuentos con su tercer volumen, *La hija de Darío*.

Además de las mencionadas anteriormente, ha publicado *Dolly y otros cuentos africanos* (traducido al inglés) y sus cuentos aparecen en numerosas antologías publicadas en Italia, Estados Unidos, España, México, Francia, Alemania, Puerto Rico, Santo Domingo, Argentina y Uruguay. Escribió el catálogo *Nani*, formando parte del proyecto Bridge, entre artistas norteamericanos y cubanos.

Aparece en la antología *Voces cubanas*, publicada por Editorial Popular.